FRIDA KAHLO

GRANDES MEXICANOS ILUSTRES

FRIDA KAHLO

Araceli Martínez

DASTIN, S.L.

© DASTIN, S.L.
Polígono Industrial Európolis, calle M, 9
28230 Las Rozas - Madrid (España)
Tel: + (34) 916 375 254
Fax: + (34) 916 361 256
e-mail: info@dastin.es
www.dastin.es

I.S.B.N.: 84-492-0335-X
Depósito legal: M-15.918-2003
Coordinación de la colección: Raquel Gómez

Impreso en España - Printed in Spain

*A la memoria de mi abuela
Araceli Colunga.*

INTRODUCCIÓN

A falta de un año para que se cumpla medio siglo de su muerte, ya se puede decir que se ha desatado en medio mundo una especie de «fridamanía», debido fundamentalmente al estreno de la película «Frida», producida y protagonizada por la actriz mexicana, radicada en Hollywood, Salma Hayek y dirigida por Julie Taymor.

La película, que no pudo crear más revuelo en México debido entre otras razones a que fue rodada en inglés y sin apenas actores mexicanos en los papeles principales (Rivera está interpretado por el americano de ascendencia española Alfred Molina), se basó en la biografía de la historiadora del arte Hayden Herrera.

Esta biografía, que fue en origen su tesis doctoral, revolucionó con su publicación en 1983 la percepción que de la figura y de la obra de Frida se tenía, desvelando todos los ingredientes que servirían para convertir a la doliente mujer y a la talentosa creadora en un icono universal.

Los movimientos feministas, siempre ansiosos de enarbolar mujeres únicas, libres y adelantadas a su tiempo como ejemplos a imitar, hallaron en Frida un personaje a su medida, bello por dentro y por fuera, y de una inteligencia abrumadora. Su poliédrica personalidad va desde la militante comunista, defensora a ultranza de los humildes (siempre mintió respecto a la fecha de su nacimiento, atrasándola tres años para hacerla coincidir con la del estallido de la revolución: 1910), hasta la apasionada mexicanista, tan enamorada de las gentes y las tradiciones de su país, que éstas no pueden desligarse de su obra ni de su propia imagen personal (sus trajes de tehuana y joyas y adornos precolombinos). Pasando, sobre todo, por sus escabrosas relaciones sentimentales. Frida fue la sufrida esposa de un mujeriego impenitente, la eclipsada —en vida— compañera de un genio controvertido, inclasificable, tan grande artísticamente que no podía contenerse en su corpachón de gigante, pero a quien, pasado el tiempo, Frida alcanza y supera en fama, sino en México, sí al menos en el extranjero.

Frida la bisexual, entregada a aventuras con algunos de los hombres y mujeres más señeros de su época: artistas, gentes del cine, intelectuales, políticos... Entre sus amantes hombres figuraron Leon Trotski, el escultor Isamu Noguchi, el fotógrafo Nickolas Muray y un pintor español exiliado en México que prefirió siempre permanecer en el anonimato y que parece haber sido el último gran amor heterosexual de Frida durante casi una década... Y entre las mujeres se habla de las actrices mexicanas María Félix y Dolores del Río y de la norteamericana Paulette Goddard, así como de la poetisa Pita Amor, todas compartidas con Diego; pero también sus grandes amigas Teresa Proenza y Emmy Lou Packard, asistente de Diego en California, o las pintoras Georgia O'Keeffe y Jacqueline Lamba (esposa de Breton)...

No hay otra artista plástica del siglo XX que haya alcanzado, como Frida Kahlo, el status de leyenda. Y esto a pesar de su relativamente escasa producción, en torno a los doscientos cuadros, un tercio de los cuales fueron autorretratos. ¿La razón? Me *pinto a mí misma porque estoy a menudo sola y porque soy el tema que mejor conozco.*

Su leyenda no se asienta, pues, en exclusiva sobre sus indiscutibles méritos artísticos. Nadie como ella ha legado a la humanidad un testimonio biográfico tan incisivo a través de imágenes pictóricas. *Su obra* —como muy acertadamente describiera el poeta surrealista André Breton— *es como una cinta de seda alrededor de una bomba.*

Pero su conversión en ídolo, en icono universal, se debe más a su arrolladora personalidad y, sobre todo, a una trayectoria vital, marcada, por un lado, por la pasión y el sufrimiento, y por otro, por la voluntad de vivir, sobreponiéndose a toda adversidad.

Tal vez la clave, como expresó su biógrafa Hayden Herrera en «Why Frida Kahlo speaks to the 90s», sea que Frida fue «una mujer hispana, bisexual, minusválida y artista», suficientes elementos para garantizar la conversión de cualquiera en mito.

Así, en torno a Frida se mueve hoy en día mucho dinero, y no sólo nos referimos al «merchandising» que reproduce su rostro hasta la saciedad en imanes para frigoríficos, gorras y camisetas. No.

Los escasos cuadros de Kahlo que salen a la venta alcanzan cifras récord, gracias a coleccionistas apasionados como la cantante y actriz Madonna, que, pujando por sus obras, ha logrado situar a Frida en la esfera de Picasso y Van Gogh, por lo menos en lo que a precios se refiere. Así, en junio de 2000, uno de sus autorretratos de 1929, se vendió por más de cinco millones de dólares americanos en una subasta de Arte Latinoamericano organizada por Sotheby's en Nueva York. Adquirido por un admirador anónimo, el cuadro estableció un nuevo récord para una pintura latinoamericana y para una pintora mujer, sobrepasando en casi dos millones de dólares la previsión estimada de 3.192.500 logrados por otra obra de Frida en una venta de 1995.

Cualquier objeto que le haya pertenecido, cualquier documento relacionado con ella, una carta, un mandado, una vieja fotografía..., se convierten en el blanco de un comercio a veces mezquino y descarado. No por los seres que amaron a Frida y Diego, que tomaron esos recuerdos como objetos personales muy queridos, sino por sus descendientes que, no ligados sentimentalmente a tales objetos, ven en ellos una preciosa oportunidad de enriquecerse.

Así, en diciembre de 2002 salió a la venta en Sotheby's un archivo que Rivera entregó a uno de sus amigos a finales de los 50, en agradecimiento por ayudarle a catalogar sus dibujos. Éste incluía, entre otros documentos, treinta y seis cartas de amor de Frida a su marido fechadas entre 1938 y 1953. También las cartas que le envió a su primer amor, Alejandro Gómez Arias, han sido vendidas recientemente por los herederos...

Frida debe ser, además, la pintora de la que más bibliografía puede encontrarse. Sobre ella se ha escrito hasta la saciedad, no sólo biografías y ensayos artísticos, también novelas y hasta obras de teatro... Pero además su persona y su obra han inspirado, no sólo a otros artistas plásticos, sino también a diseñadores de moda, cineastas (hay una película previa de Paul Leduc y varios documentales), coreógrafos y ¡hasta existe una ópera titulada «Frida»!

Es casi imposible imaginar qué hubiera sido Frida sin su enfermedad, sin el accidente que le impidió tener hijos y la obligó a olvidar su sueño de convertirse en doctora en Medicina y a considerar la opción de volcar todo lo que sentía en la pintura, como una terapia, sin duda; pero también como el único medio a su alcance para ganarse la vida. Así,

Frida dijo sobre sí misma en un artículo: *No me ha sido posible satisfacer los deseos considerados como normales por todo el mundo. Nada se me hizo más natural que pintarlos... Mis cuadros constituyen... la expresión más franca de mí misma, sin tener en cuenta los juicios ni los prejuicios de nadie.*

Sin sus abortos, sin los prolongados períodos de inmovilidad de Frida, sin el sufrimiento físico derivado de las secuelas del accidente, sin los corsés que tantas veces la aprisionaron, so pretexto de curarla y aliviarla, sin los abandonos e infidelidades de Diego... ¿qué imágenes tan diferentes no habrían poblado su obra?

Esa mujer frágil y delicada, a decir de los que la conocieron, que, sin embargo, podía desplegar un impresionante derroche de fuerza y autodeterminación, ¿se habría consagrado al arte de todas formas o una existencia menos desgraciada la habría apartado de la creación artística, favoreciendo una trayectoria más anónima e impersonal?

Son preguntas de historia-ficción. Lo único cierto es que su personaje continúa creciendo y complicándose, enriqueciéndose hasta convertirla en la pintora latinoamericana más singular de todos los tiempos. Algo que probablemente Frida nunca imaginó, porque era realmente modesta respecto a sí misma, como demuestran estas frases: *He pintado poco, sin sentir el más mínimo deseo de alcanzar la gloria y sin tener ambiciones (...) Muchas vidas no bastarían para pintar como yo quisiera y todo lo que me gustaría.*

Con todo, Frida seguirá dando que hablar. Diego Rivera guardó sus documentos personales en cajas y pidió que éstas se abrieran sólo a los diez años de su muerte. No obstante, la obstinación de Dolores Olmedo, amiga, mecenas y la mayor coleccionista de obras de Frida y su esposo, y presidenta vitalicia del Fideicomiso Diego Rivera, impidió que se cumplieran las disposiciones del muralista.

La reciente muerte de un ataque al corazón de la señora Olmedo, en diciembre de 2002, a los noventa y tres años de edad, abre la posibilidad de que, por primera vez, vean la luz dichos documentos que desvelarán nuevos secretos de la biografía de la pintora.

Capítulo Primero

Aunque durante toda su vida Magdalena Carmen Frida Kahlo y Calderón disfrutó reinventando su propio personaje y afirmando, por ejemplo, que había nacido al tiempo que la Revolución mexicana en 1910, fecha que aún recogen algunas enciclopedias y hasta una pintada en su casa-museo, lo cierto es que nació bajo el signo de Cáncer, el 6 de julio de 1907, en la casa azul de Coyoacán, entonces un pequeño pueblo al sudoeste de Ciudad de México. La Casa Azul, situada en la calle Londres, esquina con Allende, no sólo fue el escenario de su nacimiento; también lo sería de su muerte el 13 de julio de 1954 y de la mayor parte de su vida. De una sola planta, con su peculiar distribución en forma de «U» según la cual cada habitación da a la siguiente y al gran patio central, cuajado de fuentes, plantas tropicales e ídolos precolombinos, la casa azul había sido construida tres años antes en una época de bonanza económica, cuando su padre, Guillermo Kahlo, a la sazón fotógrafo de éxito, fue encargado por el Gobierno de Porfirio

13

Díaz de registrar en sus instantáneas el patrimonio arquitectónico nacional de la época prehispánica y colonial.

Convertida por su marido, Diego Rivera, en el Museo Frida Kahlo, cuatro años después de su muerte, alberga entre sus muros de estuco la mayor colección de cuadros y objetos personales de la pintora más extraordinaria que haya dado México: sus coloridos vestidos de tehuana, sus joyas precolombinas, su colección de muñecas, los pulcrísimos pinceles, caballetes y paletas que utilizaba para contar su mundo, el último e inacabo cuadro de Frida (un retrato de Stalin, su héroe político) o el espejo que le devolvía con crudeza su sufriente realidad.

Pero además, la casa alberga las colecciones de exvotos y objetos de arte popular, que tanta influencia ejercerían en su arte, y algunas obras de pintores a los que Frida había conocido y admirado: Marcel Duchamp, Paul Klee, Yves Tanguy y, por su puesto, de su marido, Diego Rivera. No falta el libro de contabilidad donde ella anotaba cuidadosamente todos los gastos de la casa procurando que fueran lo más modestos posible... Pero tal vez los objetos más preciosos de la casa, además de sus cenizas —recogidas, como no podía ser de otra manera, en un jarrón precolombino—, sean sus cartas y el diario íntimo de la artista, testimonios impagables de su leyenda.

Frida fue la tercera de las cuatro hijas del matrimonio Kahlo-Calderón. Su padre, un judío alemán de origen húngaro, nacido en Baden-Baden en 1872, había emigrado a México en 1891 tras la muerte de su madre, Henriette Kaufmann, y el segundo matrimonio del padre, el orfebre Jacob Heinrich Kahlo. El acomodado abuelo europeo de Frida había planeado para su hijo una brillante carrera en la Universidad de Nuremberg, pero, como en el caso de Frida, un accidente torcería tales planes. A consecuencia de una caída, el joven Wilhelm sufrió unas heridas en el cerebro que le provocarían ataques de vértigo y epilepsia hasta el fin de sus días.

La poca simpatía que el joven sentía hacia su madrastra le llevó a concebir la idea de emigrar, con tan solo diecinueve años, al Nuevo Mundo. En México cambia su nombre de pila por el sinónimo español y encuentra trabajo, a través de su amistad con otros emigrantes, como cajero en una cristalería y luego como vendedor en una librería.

Tres años más tarde se casa con una mexicana que muere tras dar a luz a su segunda hija. Para entonces ya trabajaba en la joyería La Perla, propiedad de unos compatriotas con los que había realizado el viaje a México, donde coincidió con Matilde Calderón.

«La noche en que murió su esposa —cuenta Frida— mi padre llamó a mi abuela Isabel, quien llegó con mi madre. Ella y mi padre trabajaban en la misma tienda. Él estaba muy enamorado de ella y más tarde se casaron.»

Matilde Calderón y González era la mayor de los doce hijos de Antonio Calderón, un fotógrafo de ascendencia indígena, y de Isabel González, hija de un general español. De su madre, crecida en un convento, había recibido una sólida educación religiosa, por lo que la principal cualidad de Matilde era su irreducible piedad. Aunque iletrada, no le faltaba inteligencia, según cuenta su hija, en particular para los números, lo que sin duda ayudaría cuando en los años venideros los problemas económicos obligaran a la familia a estrecharse el cinturón. *No sabía leer ni escribir —escribió Frida—. Sólo sabía contar dinero.*

Por qué la piadosa Matilde había aceptado a un judío ateo enfermo de epilepsia por esposo fue siempre un misterio para Frida, quien afirmaba, sin lugar a dudas, que su madre no se había casado por amor. A los veinticuatro años, Matilde había rebasado la edad en que una jovencita de la época debía casarse y Guillermo no constituía un mal partido, pero estos hechos tal vez no fueran la única razón para su matrimonio. Frida tenía su particular versión de los hechos. Tal como recordaba, a los once años, su madre le había mostrado las cartas de su primer novio, celosamente guardadas en un libro. *En la última página estaba escrito que el autor de las cartas se había suicidado en su presencia. Ese hombre vivía siempre en su memoria.*

Tal vez la clara piel y el marcado acento alemán, que Guillermo no perdió nunca, recordaron a Matilde aquel primer amor malogrado. Quizá su culto origen europeo, en una época en que todo lo procedente del viejo continente se consideraba superior a lo mexicano, no careciera de atractivo.

Guillermo, como diría su hija, *era muy interesante y se movía con elegancia al caminar.* Con su abundante cabello, su intensa mirada oscura y el estupendo bigote retorcido al más puro gusto de la época, Guillermo no carecía de atractivo. Además de apuesto, era inteligente y muy trabajador. Que fuera serio y parco en palabras no le disgustaba y tal vez pudo empatizar con su luto reciente e identificarse con él. El caso es que en 1898 contrajeron matrimonio.

María Luisa y Margarita, las dos hijas que Guillermo conservaba de su primer matrimonio, de siete y tres años respectivamente, fueron enviadas a un convento y casi inmediatamente, el mismo año, nace el primer vástago de la nueva unión: Matilde, a la que seguirían Adriana en 1902, Frida en 1907 y Cristina en 1908. El único varón de la pareja había muerto al nacer.

Poco después de su boda y a instancias de su nueva esposa, Guillermo cambia de oficio. El suegro le introduce en la técnica del daguerrotipo que Guillermo pronto domina con meticulosidad germánica. La excelente técnica, unida a su capacidad de observación exacerbada por su condición de extranjero, hacen el resto. Pronto se convierte en un renombrado fotógrafo profesional. Por encargo de José Ives Limantour, secretario de Hacienda bajo el dictador Porfirio Díaz, suegro y yerno salen de gira por el país y regresan con una afortunada colección de instantáneas de arquitectura indígena y colonial con que ilustrar una serie de publicaciones que conmemorarían, con todo lujo, la celebración en 1910 del centenario de la Independencia Mexicana.

Además de una discreta fortuna, su trabajo en los primeros años de la década, le vale el elogioso título de «primer fotógrafo oficial del patrimonio cultural mexicano». Aunque de cuando en cuando ejecutaba excelentes retratos oficiales y, por supuesto, de su propia familia, lo que verdaderamente se consideraba Guillermo era, como rezaba su anuncio, «especialista en paisajes, edificios, interiores, fábricas, etc.».

Además de a la fotografía, el padre de Frida era muy aficionado a la literatura y a la música. Todas las noches, cuando regresaba a casa, tocaba en su piano alemán a Beethoven y Strauss y se retiraba a leer, en su lengua materna, los clásicos de su biblioteca. Además, pintaba realistas acuarelas al aire, fundamentalmente bodegones y escenas campestres, una afición que tendría cierta influencia sobre su hija, quien solía acompañarle en sus escapadas a los parques cercanos.

De todas sus hijas, sin duda Frida era la preferida, a la que consideraba más viva e inteligente, y a raíz de la poliomielitis de ésta, a los seis años, la más cercana, por la común experiencia de la enfermedad. Frida, que curiosamente fue la única de las seis en portar un nombre alemán (su significado es «Paz»), también se sentía más unida a su padre que a su madre.

De niña le entristecían y angustiaban los nocturnos ataques de su padre y le desconcertaba su aparente normalidad a la mañana siguiente. Cuando por fin comprendió, trataba de no perderse sus salidas para estar a su lado cuando él la necesitara: *Muchas veces, al ir caminando con la cámara al hombro y llevándome de la mano, se caía repentinamente. Aprendí a ayudarle durante sus ataques en plena calle. Por un lado cuidaba de que aspirara prontamente éter o alcohol, y por otro, vigilaba que no robaran la cámara fotográfica.*

A pesar de la penuria económica que la década revolucionaria supuso para el hogar de los Kahlo-Calderón (*era con gran dificultad que se ganaba la subsistencia en mi casa*), Frida escribió en su diario que su niñez había sido «maravillosa», atribuyendo prácticamente todo el mérito a su padre: *Aunque mi padre estaba enfermo (sufría vértigos cada mes y medio), para mí constituía un ejemplo inmenso de ternura, trabajo (como fotógrafo y pintor) y, sobre todo, de comprensión para todos mis problemas.*

Éstos empezaron exactamente en 1913. Antes de la enfermedad, Frida era una niña regordeta, un inquieto y despreocupado diablillo que nada sospechaba del sufrimiento que por destino iba a marcar su vida. Cuando a los seis años contrae la poliomielitis y se ve obligada a pasar nueve meses en su cuarto, tanto el cuerpo de Frida, que adelgaza, como su carácter, cambian. Frida, solitaria, se vuelve más reservada, más introvertida. Para sobrellevar su encierro, ha de inventarse una amiga imaginaria de su misma edad.

Cuando regresa al mundo real, y a pesar de que usaba tres o cuatro medias en la pierna derecha y un tacón más alto para disimular la delgadez y cortedad de su miembro, los otros niños se burlan de ella llamándola «pata de palo».

Las continuas chanzas acaban haciendo mella en Frida, quien reacciona ensimismándose y exagerando sus diferencias con los demás. En esa época comienza a proferir palabrotas (costumbre que no abandonará nunca) y a resultas de su apasionada entrega a todo tipo de deportes, con la idea de recuperar la fuerza de su marchita pierna derecha, se convierte en un chicazo. Apoyada por su padre, Frida juega al fútbol, nada, boxea, practica la lucha... Le gusta remar en el lago, montar en bicicleta y subirse a los árboles. Todo lo contrario de lo que cabía esperar de una niña bien mexicana de la época. Los otros niños la dejan fuera de sus juegos.

Tampoco con su madre se lleva del todo bien. Frida fue, de las cuatro hijas, la que menos contacto íntimo tuvo con su progenitora, en parte porque ésta enfermó al poco de alumbrarla (con los años padecería ataques muy parecidos a los del marido), pero sobre todo porque, a los dos meses, se quedó embarazada de Cristina. En consecuencia, Frida tuvo que ser amamantada por una nodriza india, episodio al que más tarde Frida concedería una importancia crucial y que reflejaría en el cuadro *Mi nodriza y yo* (1937). El caso es que, contratada para dar el pecho al bebé, la nodriza no estableció ningún vínculo sentimental o de ternura con él.

Desde muy pequeña, Frida se rebela contra la piedad tradicional de su madre y sus hermanas mayores. Mientras todos dan gracias por los alimentos, Cristina y Frida contienen a duras penas las ganas de reír, y en lugar de ir a la catequesis para recibir la primera comunión ambas se escapan a robar membrillos y tejocotes de los huertos cercanos. Ni las misas diarias, ni los retiros de Semana Santa dejan la menor huella en el espíritu librepensador de Frida.

De su severa madre, a quien describirá como simpática, activa e inteligente, pero también como calculadora, cruel y fanáticamente religiosa, sólo hereda el gusto por el orden y las tareas domésticas bien hechas.

Más que su madre, fueron sus hermanas mayores Matilde y Adriana quienes se encargaron de cuidar de ella y de Cristina, y lo mismo puede decirse de sus hermanastras, María Luisa y Margarita, cada vez que pasaban temporadas en la casa. Con todo, Frida reconoce que físicamente se parecía a ambos progenitores: *Tengo los ojos de mi padre y el cuerpo de mi madre*. Las gruesas cejas casi unidas, principal rasgo de su rostro, son una herencia de la abuela paterna, como se puede apreciar en el cuadro *Mis abuelos, mis padres y yo* (1936).

En este trabajo la artista «relata» su procedencia. Se representa de pie, desnuda en el patio de su casa a la edad de aproximadamente tres años. Con la mano derecha sujeta un doble lazo rojo que enmarca a sus padres en un burlón retrato copiado de su foto de bodas. Sobre el vientre de Matilde, Frida pinta burlona un feto, haciendo tal vez alusión al estado de buena esperanza de su madre en el momento de los esponsales. Por encima de Matilde y Guillermo, al final de la cinta roja, flotando sobre unas nubes, sus respectivos progenitores. Los maternos, mexicanos, simbolizan la tierra con un típico fondo de la alta meseta central mexicana donde no falta, entre los cactus, el nopal uno de los símbolos de la bandera nacional. A los abuelos paternos, húngaros, les caracteriza el océano, pues proceden de allende los mares.

De todas sus hermanas, es Cristina, a la que no lleva siquiera un año, con la que mejor se lleva. Juntas van al colegio por primera vez, a parvulitos, a la edad de tres y cuatro años. Es significativo su primer recuerdo del mismo. La vieja profesora, vestida a la antigua y con un horrible postizo, impresiona tanto a Frida cuando se pone a explicar casi a oscuras, con una vela en una mano y una naranja en la otra, cómo era el universo, que la pequeña se orina encima y le tienen que poner los calzones de una niña que vivía enfrente de su casa. A causa de eso cobra tal odio a la niña, que un día la lleva cerca de su casa y comienza a estrangularla. No la mató gracias a la providencial intervención de un panadero que pasaba por el lugar y la libró de sus manos.

En su infancia, Frida también fue cómplice del mayor de los escándalos que afectó a su familia. Matilde, la hija mayor y favorita de su madre, decidió fugarse a Veracruz con su novio a la edad de quince años. Es curioso que para realizar tal fechoría, solicitara precisamente la ayuda de la penúltima hermana, que en la época tenía siete años. Frida cerró el balcón tras la huida de su hermana para no levantar sospechas. Cuando la madre se enteró de la fuga, se puso histérica y probablemente, del mismo modo que tardó años en perdonar a la fugada, debió guardar rencor a Frida por no haberles advertido del hecho y ayudar a su hermana mayor a consumarlo. El padre no dijo nada, pero languidecía en secreto. Durante algunos años no volvieron a saber nada de Matilde hasta que, en una ocasión en que éste viajaba en tranvía con Frida, exclamó derrotado: *¡No la encontraremos nunca!* Frida le confesó entonces que una amiga de su colegio le había contado que por la colonia Doctores vivía una señora parecidísima a ella que se llamaba Matilde Kahlo.

Frida decidió visitar a su hermana por su cuenta. La encontró duchándose con una manguera al fondo de un patio. Aún no se había casado, pero vivía felizmente junto a su novio. Nunca tuvieron hijos, pero su situación era acomodada, tanto, que la joven solía llevar exquisitos manjares a casa de sus padres, pero como la madre, inflexible, le negaba siempre la entrada a su hija mayor, ésta debía regresar a su casa tras dejar los presentes en la puerta. Pasó mucho tiempo antes de que Matilde perdonara a su hija, una actitud que a Frida costaba entender. Sólo en 1927, doce años después del episodio de la fuga, Frida escribió a un amigo que se habían hecho las paces en su casa y que Mati ya la visitaba. Un par de años antes, la impulsiva y generosa Matilde tuvo la oportunidad de compensar la fidelidad de su hermana menor. Fue a raíz del terrible accidente que marcó para siempre el destino de Frida. Al enterarse de la noticia, el padre enfermó de tal modo que no pudo ver a su hija hasta pasados veinte días. Por su parte, la madre se quedó muda durante un mes y su otra hermana mayor, Adriana, para entonces ya casada y vecina de sus padres en Coyoacán, también se desmayó al oír lo sucedido.

La primera persona que tuvo el valor para visitar en el hospital y quedarse a su vera día y noche, durante todo el mes que Frida pasó acostada y enyesada en el hospital de la Cruz Roja fue Matilde, quien hacía innumerables idas y venidas de su propia casa al hospital y luego a la de sus padres a llevar noticias y recoger cosas para su hermana pequeña. Mati debió alegrarse sinceramente de poder hacer algo por su querida Frida. Como vivía muy cerca del hospital (Coyoacán se encontraba, por el contrario, muy lejos) y no tenía hijos de los que ocuparse, la visitaba todos los días en aquella *especie de pabellón horrendo* —contó Frida—. *Fue Matilde quien levantó mi ánimo: me contaba chistes. Era gorda y feíta, pero tenía gran sentido del humor. Nos hacía reír a carcajadas a todos los que estábamos en el cuarto. Tejía y ayudaba a la enfermera en el cuidado de los enfermos.*

CAPÍTULO II

— ADOLESCENCIA Y PRIMER AMOR —

FRIDA concluye sus estudios primarios en el Colegio Alemán de México con excelentes resultados, por lo que decide presentarse a los duros exámenes de admisión en la Escuela Nacional Preparatoria, considerada como la mejor institución docente de la época, donde se preparaba para la Universidad la flor y nata de la sociedad mexicana.

Cuando Frida entró en 1922, hacía poco que se admitían mujeres. De hecho, con ella eran treinta y cinco muchachas para un alumnado total de dos mil. Su sueño era prepararse para estudiar Medicina más tarde.

Le apasionaban las Ciencias Naturales, especialmente la biología, la zoología y la anatomía, resultado de sus largas excursiones con su padre recogiendo insectos, conchas, plantas raras y minerales, que luego se llevaba a casa y disecaba o buscaba en libros y observaba curiosamente al microscopio. Aunque le interesaba la Historia del Arte, ni se planteaba dedicarse profesionalmente a ello. Su único contacto durante esta época con el arte es el empleo que consigue a tiempo parcial en el estudio de un amigo de su padre, el grafista Fernando Fernández, que le da clases de dibujo y la enseña a copiar al impresionista sueco Anders Zorn.

Fundada en 1868, tras la ejecución del emperador Maximiliano, la escuela, magnífica construcción churrigueresca del siglo XVIII, había sido el colegio de los jesuitas en Ciudad de México. Fue integrada en 1910 a la recién creada Universidad Nacional de México, como parte esencial de la misma.

Durante la década de los 20, época en que Frida la frecuentó, fue decorada por los principales muralistas de la época: Diego Rivera pintó en 1922 *La Creación*, en su anfiteatro llamado Simón Bolívar, fundiendo magníficamente art déco, simbolismo y Renacimiento italiano. Alfaro Siqueiros dejó su huella en la escuela con la obra *Los elementos*, donde expresa abiertamente sus ideales de solidaridad entre la clase obrera. Y por último, Clemente Orozco expresó durante tres años su repulsa ante la demagogia, la falta de principios morales y la corrupción que tantas veces convierten la vida de muchos en una tragedia.

Pero no sólo de obras de arte se nutrieron intelectualmente los alumnos; el plantel de profesores de la escuela era de ensueño: desde el biólogo Isaac Ochoterena, a los filósofos Antonio Caso y Samuel Ramos, pasando por los escritores Erasmo Castellanos Quinto, Narciso Bassols y Jaime Torres Bodet.

Pero además, la escuela era por aquel entonces un hervidero político. Porque fue precisamente en los años 20 cuando empezaron a verse los frutos de la década revolucionaria que había arrancado a México del vasallaje cultural y económico respecto a Europa que los «científicos» habían impuesto bajo los treinta y cuatro años de dictadura de su protector, Porfirio Díaz.

Este grupo de abogados e intelectuales admiradores del positivismo de Comte, no sólo había colocado gran parte de los recursos naturales y de la industria mexicana en manos de potencias extranjeras, sino que, además, despreciaba la cultura indígena, potenciando la imitación de los modelos españoles y franceses en todos los órdenes de la vida.

Tras la revolución, amén de las reformas económicas (agrarias y laborales, principalmente) y de la devolución de los recursos naturales a la nación, comenzó a forjarse una nueva y orgullosa identidad mexicana, basada en sus costumbres y tradiciones.

Cuando en 1920 Álvaro Obregón es elegido presidente de la República, una de sus prioridades será la educación. Nombra secretario de Educación Pública al brillante abogado y filósofo José Vasconcelos, quien inicia una auténtica cruzada para alfabetizar el país. Así, funda bibliotecas, construye escuelas rurales y academias de arte al aire libre, hace publicar clásicos a precios accesibles... Para quienes no sabían leer ni escribir, organiza conciertos gratuitos y contrata a los grandes muralistas de la época (Diego Rivera, David Alfaro Siqueiros, José Clemente Orozco), para ilustrar la historia y la cultura mexicanas en grandes frescos que formen e inspiren al pueblo, al igual que se hacía con las historias de la Biblia en las iglesias y catedrales durante la Edad Media europea.

Vasconcelos cree en el arte como un subversivo agente de cambio social.

Éste era el efervescente ambiente de cambio y optimismo que se respiraba por doquier cuando Frida abandonó el cerrado mundo familiar de la casa azul para ingresar en la Escuela Preparatoria. Era uno de esos envidiables momentos históricos en los que hay tanto por hacer y tantas manos dispuestas a aportar con fe y pasión su granito de arena para la construcción de un país nuevo, más noble y progresista.

En los primeros tiempos de la Escuela Preparatoria, Frida abandonó los pantalones de muchacho que usaba para andar en bicicleta (y, de paso, disimular la delgadez de su pierna derecha) por un típico «uniforme» de colegiala alemana con falda plisada azul oscuro, medias gruesas hasta la pantorrilla y hasta un sombrero de ala ancha con cintas colgando por detrás. Su masculino corte de pelo, que horrorizaba tanto a las niñas burguesas de la época como a sus madres, fascinaba en cambio a los muchachos, con los que Frida prefería relacionarse, obviando el incesante chismorreo de la mayoría de las alumnas de la escuela, a las que encontraba cursis y calificaba de *escuinclas*.

Frida tenía amigos en varias de los grupos que constituían el entramado informal de la escuela, desde los elitistas «contemporáneos», admiradores de las vanguardias artísticas europeas (Gide, Eliot, Cocteau...), hasta los «maistros», fervientes defensores de las ideas de Vasconcelos.

Pero sus verdaderos amigos o «cuates» eran los *cachuchas* (nombre tomado de la gorra de traficante que usaban para identificarse). Ávidos lectores, dentro de la escuela tenían fama de irreverentes y traviesos y, aunque también ellos se identificaban de una manera romántica e idealista con el programa social nacionalista de Vasconcelos, no se involucraban en política. Sobre todo, les gustaba hacer bromas, como aparecer montados en burro por los pasillos de la escuela o envolver en cohetes a un pobre perro y mandarlo a correr desquiciado por todo el edificio.

En una ocasión llegaron a hacer una broma al respetado, pero demasiado serio para el gusto de los cachuchas, profesor Antonio Caso. Durante una conferencia de éste en el salón de actos, José Gómez Robleda, a quien había tocado en suerte gastar la broma, debía encender la mecha del cohete situado en la parte exterior de la ventana más cercana al púlpito donde el incauto orador pronunciaba su discurso.

Cuando estalló la mecha, una lluvia de vidrios y grava cayó encima del profesor, quien, aparentando indiferencia, continuó profesionalmente su discurso, con un admirable aplomo. Nunca se encontró a los responsables, que hubieran sido expulsados inmediatamente, en caso contrario. Como la mecha tardaba veinte minutos en consumirse, al autor del encendido le había dado tiempo de sobra a situarse al lado del prefecto de las alumnas. El resto de los cachuchas se había buscado otra coartada: bien se hallaban fuera del edificio, bien entre el público del auditorio, fingiendo una perfecta inocencia.

Los cachuchas solían reunirse en la Biblioteca Iberoamericana, a corta distancia de la escuela, un lugar acogedor que se convirtió en su segunda casa. Allí discutían, dibujaban, completaban las tareas escolares y, sobre todo, competían entre sí por descubrir el mejor libro antes que los otros.

Nada escapaba a su voracidad lectora, desde los grandes clásicos a la ficción mexicana de la época. Literatura, filosofía... A veces adaptaban a obritas teatrales las historias que más les emocionaban.

Pocas eran, como hemos dicho, las muchachas a las que Frida consideraba dignas de su compañía. Entre estas *manas*, como Frida las llamaba, se hallaban Adelina Zendejas, Alicia Galant —que posó para uno de sus primeros retratos, aún muy al gusto europeo—, Agustina Reyna —otra «marimacho» a la que Frida llamaba «reinita» y con la que le encantaba perderse por los jardines— y la excéntrica Carmen Jaime (la otra cachucha), con quien mantenía interminables duelos de ingenio.

Todos los cachuchas (que eran nueve en total, siete chicos y dos chicas) llegaron a ser profesionales de éxito: Carmen Jaime, Miguel N. Lira, José Gómez Robleda, Agustín Lira, Alfonso Villa, Jesús Ríos y Valles y Manuel González Ramírez.

Pero si hay un nombre que se debe destacar por encima de todos en el grupo, éste es el de Alejandro Gómez Arias, luego reconocido intelectual, jurista y periodista político, y en la época, jefe del grupo y mejor *cuate* de Frida.

Buen deportista, estudiante erudito y brillante orador, Alejandro era apuesto y carismático, de modales sofisticados y sensibilidad extrema. Crítico con los mezquinos y mediocres, admiraba la justicia, la probidad moral y la sabiduría. Llevaba algunos años a Frida, por lo que antes de convertirse en su *cuate*, había sido una especie de mentor para ella, y acabaría convertido en su primer novio.

Tras la escuela, solían dar interminables paseos en los que él la cortejaba con flores y mensajes plenos de humor y romanticismo. Cuando tenían que separarse por algún tiempo, se escribían cartas. Las de ella, cuajadas de besos y dibujos, testimonian la necesidad que ya de adolescente tenía Frida de explicar y compartir su vida y sentimientos; la misma necesidad que la forzaría años después a convertirse a sí misma en objeto obsesivo de sus cuadros.

A partir de su enamoramiento en el verano de 1923, las cartas se vuelven más íntimas y coquetas. Frida da sobradas muestras del carácter posesivo de su cariño y progresivamente de su obsesión por que su Alex le diga que la quiere. Como los padres de ella desaprueban tal relación, Frida tiene que escribirlas de noche o a escondidas y él, firmar como «Agustina Reyna».

Ambos debían verse de forma clandestina, ella inventando pretextos para salir de casa o regresar más tarde de la escuela. Por eso agradece tener que realizar trabajos con los que ayudar a la economía familiar, tanto en verano como al salir de clase, ya que éstos, a menudo en el centro de la ciudad, le proporcionan no pocas coartadas para ver a su novio. También le permiten soñar con ahorrar el suficiente dinero para viajar juntos a San Francisco.

Según Frida, para quien *no hay cosa más linda que viajar,* como escribe a Alejandro en una carta fechada el 1 de enero de 1925, su vida cambiará ese año, cuando ambos logren irse a los Estados Unidos.

La vida de Frida va a cambiar, en efecto, ese año de 1925, pero de un modo mucho más dramático y absolutamente inesperado. Frida sólo tiene dieciocho años cuando regresaba a casa en el autobús de Coyoacán acompañada por Alejandro. El autobús en aquella época era tan novedoso como popular. A pesar de que el suyo iba atestado de gente, logran situarse en dos asientos al fondo.

Caía la tarde de aquel 17 de septiembre en que había estado lloviznando cuando el conductor, un tanto imprudente, pensó que le daría tiempo a atravesar las vías del tren antes de que el procedente de Xochimilco, que se estaba aproximando, les alcanzara. Pero el tranvía no sólo les alcanzó sino que lo envistió por la mitad y continuó avanzando, empujándolo y curvándolo, hasta que poco a poco lo partió en dos. Tras la fractura, el tranvía aún continuó su camino atropellando a muchos transeúntes, así que en el accidente murieron varias personas.

Alejandro fue a parar debajo del tren. Frida, en cambio, se quedó dentro del autobús, tendida sobre lo que quedaba de plataforma.

Con el choque, la ropa se le había roto y había quedado prácticamente desnuda. Estaba inmóvil, ensangrentada y cubierta de una fina capa de oro en polvo que uno de los pasajeros llevaba consigo en un paquete. Cuando intentaron levantarla, se dieron cuenta de que una barra de hierro (el pasamanos) la había atravesado entrando por el costado izquierdo y saliendo por su vagina.

Al sacársela, Frida gritó tan fuerte que el aullido tapó la sirena de la ambulancia de la Cruz Roja que venía por ella. La llevaron directamente al quirófano. Aquélla fue la primera de las múltiples operaciones a las que habría de someterse el resto de su vida. Los médicos no se hacían demasiadas ilusiones sobre su estado. Frida debió morir a raíz de aquel accidente, o a lo largo del mes que permaneció completamente inmovilizada en el hospital, pero sobrevivió veintinueve años, gracias a una enorme fuerza de voluntad y a costa de terribles sufrimientos.

El primer diagnóstico estableció que se había roto la columna vertebral y la pelvis hasta por tres lugares distintos cada una, además de fracturarse dos costillas, la clavícula y la pierna derecha, que registró hasta once fracturas. El pie derecho (ya tocado años atrás por la polio) había quedado completamente aplastado.

En el hospital, Frida daba muestras de una admirable entereza: *Estoy empezando a acostumbrarme al sufrimiento* —escribe, estoica—. *No tengo más remedio que aguantar porque es peor desesperarse.*

Después de la Cruz Roja, vinieron otros dos meses de inmovilidad en su casa; con menos visitas, ya que Coyoacán quedaba más lejos para todos los cachuchas que el céntrico hospital. Sobre todo, echa de menos a Alejandro, a quien reprocha en sus cartas la escasez de visitas. Éste la había acusado de «fácil», tal vez enterado de una aventura que al parecer Frida había tenido con su patrón, Fernando Fernández.

Además reconoce en una carta a Alejandro, fechada el 19 de diciembre, que Lira había *levantado el falso* de que ella le había dado un beso *y si sigo enumerando llenaría hojas enteras*. Un poco más adelante, en la misma desesperada carta, acusa a Alejandro de haberla insultado *diciendo que había hecho ciertas cosas con otro el día que lo hice por primera vez en mi vida, porque te quería como a nadie*.

Aunque Frida afirmara que fue a raíz del accidente (el pasamanos que, recordemos, salió por su vagina) como perdiera su virginidad, algunos estudiosos de su figura creen que bien podría haber despertado completamente a la sexualidad algún tiempo antes. Esto sostiene en «Escrituras» la periodista Raquel Tibol, quien ha llegado a afirmar que en el momento del accidente Frida se hallaba embarazada.

Este último punto no parece muy probable, sobre todo si se tiene en cuenta que Frida, tan sinceramente obsesionada con exorcizar los momentos más penosos de su vida pintándolos en sus cuadros, nunca hizo una referencia, siquiera metafórica, a un supuesto primer aborto durante el accidente.

Muy al contrario, en una carta posterior, con fecha del 19 de febrero de 1926, escribe a Alejandro: *A cambio de lo que no te pude o no te supe dar, te voy a ofrecer lo único que a nadie más que a ti daría; seré tuya, el día que quieras, para que siquiera eso te sirva de prueba para justificarme un poco*.

El primer autorretrato serio que Frida pinta durante su convalecencia en Coyoacán (casi un año después del accidente) tendrá el claro objetivo de recuperar a su novio. Aún muy alejada del colorismo que caracterizará su obra, Frida se pinta bella, misteriosa y refinada, con un aristocrático vestido de terciopelo rojo burdeos, con mangas y cuello de brocado. Su estilizado brazo y sobre todo el cuello, exageradamente alargado, recuerdan el estilo manierista de Parmigianino o Bronzino, o del vanguardista Modigliani. Con la mano parece suplicar el regreso de su amado, mientras el rostro per-

manece frío y, tal vez, acusador. Frida no cree merecer la ruptura con Alejandro ni su desconfianza. En el oscuro fondo,
las olas de un agitado mar permiten adivinar el tormento
que el digno e impenetrable rostro se obstina en negar.

El regalo cumplió su objetivo ya que, poco después, Frida
recuperó a su amor. Pero la vida no iba a permitirle disfrutarlo, ya que en ese mismo mes de septiembre, cuando se
cumplía un año del accidente, un ortopédico descubre, con
una radiografía, que Frida tiene tres vértebras fuera de sitio.

El médico prescribe un corsé de yeso al que seguirán otros
durante nueve meses adicionales de inmovilidad, en los que
Frida lleva, además, un aparato especial para su pie derecho.
La lentitud en la recuperación de Frida se debió a la ineptitud e indolencia de los médicos que la trataron a raíz del accidente, que ni siquiera le habían hecho unas radiografías para
comprobar el estado de su columna vertebral antes de dictaminar que estaba curada y mandarla a casa. También la precariedad económica de su familia fue la culpable de que Frida
no recibiera en su momento los tratamientos requeridos.

Sea como fuera, es en ese nuevo periodo de inmovilidad
cuando Frida comienza a pintar en serio para matar el aburrimiento y olvidar el dolor. Toma prestada la caja de colores de su padre y le mandan construir un caballete especial
para que pueda ejercitarse desde la cama. Ésta había sido cubierta con un baldaquino en el que se había colocado un espejo a medida que permitía a Frida observarse para ejecutar
sus autorretratos.

Echada, ya que el corsé no le permite sentarse, retrata,
además de a sí misma, a algunos de sus amigos (Alicia Galant,
Ruth Quintanilla, Miguel N. Lira) y a su hermana Adriana.

Lo hace siempre con colores oscuros y en un envarado
estilo europeísta. El dolor y la soledad son los temas omnipresentes en las cartas que escribe esa época, sobre todo a

Alejandro, a quien sus padres envían a Europa en un intento de enfriar su relación con Frida. Alejandro, que se había ido sin siquiera despedirse de Frida, prolonga su estancia desde marzo hasta noviembre de 1927.

Cuando regresa, el objetivo de sus padres se ha cumplido en parte. Aunque no dejaría nunca de sentir un gran cariño y una enorme compasión por Frida, a su vuelta, Alejandro se involucra cada vez más en sus actividades políticas, fundamentalmente su campaña por la autonomía de la Universidad respecto al poder político, y el apoyo a la democrática candidatura de Vasconcelos frente al corrupto y despótico sistema del candidato callista, Pascual Ortiz Rubio.

Por su parte, Frida que, a raíz del confinamiento, había comenzado su proceso de «autocreación», de reinvención de sí misma a través del arte, en un intento desesperado de controlar su mundo, había decidido darse una oportunidad como pintora. La ruptura definitiva no sobrevendrá hasta junio de 1928, cuando Alejandro se enamore de una amiga de Frida, Esperanza Ordóñez.

CAPÍTULO III

PERO a principios de 1928 todavía están juntos. Frida se encuentra bastante recuperada para retomar una vida normal. Aunque continúa frecuentando a sus viejos cuates de la preparatoria y, por supuesto, a Alejandro, Frida no se reincorpora a sus estudios.

Otro amigo suyo, el líder estudiantil Germán de Campos, la introduce en el círculo creado en torno al carismático Julio Antonio Mella, un revolucionario comunista cubano exiliado en México que estudiaba Derecho en la misma universidad que Germán y Alejandro.

Su compañera sentimental, la fotógrafa de origen italiano Tina Modotti, con la que Frida en seguida hace buenas migas a pesar de su considerable diferencia de edad (once años), resultará crucial para la inmersión de ésta en el ambiente bohemio más selecto de aquel México post-revolucionario.

La bella Tina, que había llegado al país procedente de San Francisco en 1923 de la mano de su maestro y amante, el gran fotógrafo Edward Weston, se había ido involucrando, tras la marcha de éste, en la militancia comunista, merced a sus relaciones con el pintor Xavier Guerrero, primero, y con el revolucionario Mella, después.

Extraordinariamente sensible y misteriosa, la inasible Tina inspira tanto a poetas como pintores, que se reúnen en su casa de Abraham Gonzalez muchas noches a charlar y beber cerveza y tequila. En ese progresista ambiente la rebelde Frida comienza a hacerse notar por su vestimenta (a veces masculina) y por sus provocadoras intervenciones. Ha retomado con fuerza su propia vida y no reprime ni su inconformismo ni su sensualidad.

Será precisamente a través de Tina como Frida se afilie al Partido Comunista de México (PCM) y, en su casa, donde, una noche de aquel verano de 1928, conozca a la persona que le haría olvidar su adolescente amor por Alejandro.

Diego Rivera, que se casaría dos veces con Frida, era mucho antes de conocerla, uno de los pintores mexicanos más prolíficos y reconocidos dentro y fuera del país. Formaba, junto con David Alfaro Siqueiros y José Clemente Orozco, el trío de grandes muralistas de la primera mitad de siglo XX. «Mexicanistas», promotores de un arte autóctono que explicaba y exaltaba, mediante monumentales murales de carácter educativo, la historia nacional.

Frida, que no desconocía la pésima reputación de mujeriego y bebedor de Rivera, había tenido ya la ocasión de observarle en 1922 mientras éste trabajaba en su mural para el Anfiteatro Bolívar de la Escuela Nacional Preparatoria.

Por aquel entonces, hasta le había gastado alguna de sus famosas bromas, como robarle la comida o enjabonar el suelo para que el inmenso pintor se resbalara, cosa que no llegó a ocurrir debido a la lentitud con que éste caminaba y a la estabilidad de su enorme masa corporal.

Cuando Diego se encontraba pintando a Lupe Marín, a quien desposó en 1922, Frida gritaba escondida en la oscuridad: «¡Eh, Diego, ahí viene Nahui!» (otra de sus amantes y modelos). Si en cambio Diego se hallaba solo en el andamio y Frida veía acercarse a la temperamental Lupe, ésta susurraba maliciosa: «Cuidado, Diego, que ya viene Lupe», haciendo creer a la celosa modelo que el pintor se hallaba en situación comprometida con otra.

Aquella noche, en casa de Tina, Diego disparó el revólver, que siempre llevaba sujeto a la cintura, contra un viejo gramófono que le molestaba con su pérdida de revoluciones. Frida es la única del asqueado grupo que no puede reprimir una carcajada. Fastidiada, Tina accede a presentarles. Cuando Frida menciona sus bromas en la escuela, él la relaciona con la chiquilla que en una ocasión se había quedado observando su trabajo en silencio durante más o menos tres horas, despertando los celos de Lupe, quien se había enfrentado a ella desafiante, obteniendo sólo un valiente silencio por respuesta.

Así lo recuerda, al menos, Diego Rivera en su algo fantasiosa autobiografía «My art, my life», donde también dice: *Vestía como cualquier otra alumna, pero sus modales la distinguían de inmediato. Poseía una dignidad y una confianza en sí misma poco comunes y un fuego extraño brillaba en sus ojos.*

Diego, que entonces tenía cuarenta y un años (veinte más que Frida), estaba libre. Acababa de regresar de Moscú, donde había dejado inconcluso, en el Club del Ejército Rojo, un fresco conmemorativo del décimo aniversario de la Revolución rusa y se había encontrado con que Lupe había disuelto su matrimonio. Entre tantas aventuras extraconyugales, Lupe no había podido perdonar la infidelidad de Diego, precisamente con Tina Modotti, en la época en que ambas mujeres se habían desnudado para el mural de la Escuela Nacional de Agricultura de Chapingo.

Aquélla había sido una aventura muy breve, de hecho terminó antes de que Diego se fuera a Rusia, pero Lupe estaba probablemente demasiado harta de compartir a su hombre y el protagonismo de los murales con otras.

Diego, por su parte, no podía evitar la promiscuidad. Aunque era definitivamente feo (Frida le llamaba «rana-sapo») y de apariencia un tanto monstruosa, el gigantesco pintor poseía verdadero talento y una gran personalidad: era brillante, apasionado y cariñoso, con un gran sentido del humor y no poca sensualidad.

Además a Diego le agradaba sinceramente la compañía de las mujeres, a las que consideraba más sensibles y refinadas que los hombres. Pero, por encima de todo, Diego era un artista consagrado. Su fama le precedía, allanando cualquier camino. En realidad, no tenía que esforzarse por seducir a nadie. Eran ellas quienes trataban de seducirle siempre a él, como si al lograrlo se garantizaran su página en la Historia, una suerte de inmortalidad.

Tras aquel «reencuentro» en casa de Tina, Frida se atreve un día a visitar a Rivera en la Secretaría de Educación para mostrarle alguno de sus trabajos. Frida le pide que descienda de su andamio para echar un vistazo a los cuadros que ha aportado y éste, amable y sencillo, accede.

Frida ha sido alertada sobre la posibilidad de que él la cubra de falsos elogios con la única intención de conquistarla. Le deja claro que quiere una opinión sincera, pues desea dedicarse al arte, pero sólo si posee un verdadero talento. De otro modo, trabajaría en lo que fuera, pues su familia seguía precisando de apoyo económico. El pintor se queda impresionado tal como afirma en su autobiografía. Los lienzos revelaban una fuerza expresiva poca usual, así como una personalidad artística propia, sin los artificios propios de un principiante. Todos ellos comunicaban sensualidad y una gran sensibilidad.

Frida le invita a ver el resto de su obra en su casa de Coyoacán al domingo siguiente. La visita llena de júbilo al pintor, que se decide a cortejarla en serio. También le pide que pose para el mural «Balada de la Revolución Proletaria», que estaba concluyendo en el Ministerio de Educación. Con el pelo muy corto y vestida con falda negra y una blusa colorada en la que luce la inconfundible estrella roja que la designa como miembro del PCM, Frida es la joven que reparte armas a sus camaradas, apoyando la lucha de clases del pueblo mexicano. No faltan en el mismo mural otros amigos de la época, como Mella, Modotti o Siqueiros.

Tras poco menos de un año de noviazgo, Diego y Frida se casan por lo civil el 21 de agosto de 1929 en el antiguo ayuntamiento de Coyoacán. No parece que a Matilde Calderón le hiciera mucha gracia el matrimonio de su única hija soltera (Cristina se había casado el año anterior) con un hombre que le doblaba la edad y, además de ser gordo, feo y ateo, tenía fama de mujeriego.

Pero Diego era rico. Y generoso. Y los Kahlo se habían empobrecido demasiado a raíz de la larga convalecencia de Frida, quien, no sólo no proseguiría ya la brillante carrera académica augurada, sino que continuaría precisando caros tratamientos médicos difíciles de asumir por sus progenitores. Para Guillermo no había objeción alguna, por lo que fue el único miembro de la familia Kahlo que asistió a la ceremonia.

Según contó la misma Frida, antes de concederle su mano a Diego, Guillermo se había sentido en la obligación de advertir: *Dése cuenta que mi hija es una persona enferma y que estará enferma durante toda la vida; es inteligente, pero no bonita.*

A Diego no le importaba que Frida hubiera estado mala o siguiera estándolo. Por fin había encontrado una persona tan franca y poco convencional como él mismo, dotada de un gran talento y con un sentido del humor tan irónico y similar al suyo, que era imposible aburrirse a su lado. Ambos compartían sinceramente los ideales comunistas y su conciencia nacional y, aunque su padre la había descrito como fea, Frida era, en realidad, de una belleza portentosa, y tan voluptuosa como el sensual Diego pudiera desear.

Para complacer a Diego y marcar bien su nueva identidad, después de su boda, Frida reinventará su imagen. Empieza a usar los trajes de tehuana que ya para siempre se asimilarán a ella. Frida convertirá en uniforme estos encantadores y coloridos trajes de blusa bordada y largas faldas en tonos fuertes (morados y rojos) con volantes en el dobladillo; adornado con profusión de joyas y rematado con su oscura cabellera trenzada por encima de su cabeza con cintas, pasadores y hasta flores naturales.

La elección no es arbitraria: las mujeres de la región de Tehuantepec no sólo eran conocidas por su belleza, majestuosidad y elegancia, también se las tenía por fuertes y valerosas, cualidades que Frida, sin duda, compartía y admiraba. Pero además, y por encima de todo, se vestía así porque a Diego le encantaba. El vestuario nativo la acerca más a la tierra, es una forma de proclamar el respeto por su raza, en detrimento de cualquier otra moda extranjerizante. Pronto otras damas de la alta sociedad la siguen, aunque sin igualar jamás su talento para vestirse.

Su instinto artístico la lleva a entender su propia imagen como una especie de puesta en escena diaria, donde ningún elemento es dejado al azar. Con su fino sentido estético, mezclaba estilos y colores como si fuera a componer un cuadro, sin despreciar ninguna influencia, aunque mostrara predilección por todo lo indígena. Además le encantaban las joyas. Sus manos eran una exposición permanente de anillos que cambiaban constantemente de dueños, pues Frida los regalaba tan espontáneamente como los demás se los ofrecían a ella.

En cuanto a los collares y pendientes precolombinos y coloniales, era Diego quien se los regalaba desde el principio del matrimonio. Para Frida es fundamental convertirse en una compañera perfecta para Diego; por eso dramatiza su personalidad, exagera su extravagancia con un estilo tan personal que la mismísima revista *Vogue* le dedicaría una de sus portadas en 1939.

Durante los primeros meses de casada, Frida apenas pensó en pintar. Ocuparse de Diego (sobre todo cuando éste enfermó por el estrés de sus compromisos) le ocupaba todo el tiempo. Diego, en cambio, no daba a basto. Además de pintar pródigamente, el mismo mes de su boda le nombraron director de la Academia de San Carlos, donde se había iniciado artísticamente de niño. Su empeño por revolucionar el programa de estudios y el sistema de aprendizaje (con profesores que serían evaluados por sus alumnos, por ejemplo) terminó con su despido menos de un año después.

Una de las pocas excepciones que Frida hizo en aquella época fue el *Retrato de Lupe Marín* (1929). Aunque ésta la había humillado el mismo día de su boda, levantándole las faldas por sorpresa y anunciando a los presentes que aquellos dos palos eran las piernas que ahora tendría Diego en lugar de las suyas, mucho más espléndidas..., lo cierto es que, inexplicablemente, Lupe enseñó a Frida a cocinar los platos preferidos de Diego y algún que otro truco que a él le encantaba, como el modo de adornar la canasta en que le llevaba el almuerzo hasta el andamio como una complaciente esposa.

En aquella misma época, Diego «se quedó sin casa ni hogar», como él decía, refiriéndose a su salida del partido comunista, del que era secretario general.

Diego dice en sus memorias que se autoexpulsó ante las continuas críticas y reprimendas de sus camaradas estalinistas por su falta de disciplina (siempre llegaba tarde a las reuniones); sus puntos de vista divergentes sobre determinados asuntos, como la creación de sindicatos exclusivamente comunistas, o sus «desviadas» conexiones con grupos e individuos claramente situados fuera de la ortodoxia marxista. Diego siempre había brindado su amistad a quien le había venido en gana y nunca había hecho ascos a un encargo interesante, aunque éste proviniera del reaccionario régimen contra el que pretendía luchar. Para el resto de sus compañeros de partido, al aceptar la realización de aquellos murales, Diego brindaba una coartada al gobierno contrarrevolucionario, convirtiéndose de alguna manera en su cómplice. Abiertamente situado en la oposición de izquierda, como partidario de las ideas trotskistas, Diego era considerado un traidor por la línea estalinista.

Tras su salida, fue ampliamente difamado por la prensa comunista y la mayoría de sus ex camaradas de partido dejaron de hablarle. Por la misma época, Frida, indignada y solidaria, también abandona el PCM.

Esto causa la ruptura de relaciones con Tina Modotti, quien se involucra cada vez más en el PCM hasta que en 1930 es expulsada de México, acusada injustamente de conspirar para asesinar al presidente. Viaja a Alemania y luego a la Unión Soviética, donde abandona definitivamente la fotografía por el activismo político y se reencuentra con un viejo conocido de México, Vittorio Vidali.

Colabora con el Socorro Rojo Internacional y en 1934 se traslada a España. Cuando estalla la guerra civil en este país, Tina se queda para luchar junto a las Brigadas Internacionales bajo el nombre de «María». Resistirá hasta el fin de la contienda.

Desencantada por las vergonzosas marrullerías que los desestabilizadores agentes estalinistas han llevado a cabo durante la guerra española, consigue asilo político en México, donde continuará su activismo a través de la Alianza Antifascista Guiseppe Garibaldi. Murió el 5 de enero de 1942, a los cuarenta y seis años y en circunstancias no del todo aclaradas. Formalmente, de un ataque al corazón, cuando regresaba a su casa en un taxi, tras cenar con unos amigos. Lo que la mayoría de sus biógrafos creen es que fue liquidada por sus ex compañeros de partido (que controlaban, entre otros sindicatos, el de los taxistas), debido a las críticas que cada vez más abiertamente Tina expresaba contra Stalin y sus «sicarios», su compañero Vidali incluido.

Tras su muerte, Vidali declaró que hacía tiempo que Tina padecía del corazón, dolencia de la que jamás ella habló a nadie ni consta en historial médico alguno.

Rivera, que ya había salido en defensa de Tina cuando años atrás la habían acusado de estar envuelta en el asesinato de Mella, nunca creyó que la muerte de ésta fuera natural y tampoco se abstuvo de manifestarlo. No se sabe lo que Frida opinó al respecto.

CAPÍTULO IV

Primer viaje a los Estados Unidos —

E N noviembre de 1930 el matrimonio se traslada a los Estados Unidos, donde han encargado a Diego unos murales para la Bolsa de San Francisco. Orozco le había precedido en 1927, impelido por el frenazo que el Gobierno de Plutarco Elías Calles había supuesto para el arte muralista. En agosto de 1926, un decreto presidencial había suspendido la mayor parte de la producción de murales, situación que estimularía a Siqueiros a dedicarse de lleno a la política y al mencionado Orozco, a «emigrar» a los Estados Unidos.

Diego, en cambio, había sabido congraciarse con el secretario de Educación bajo Calles, quien le tuvo en nómina durante cuatro años. Pero en 1930 se produce una oleada anticomunista. También en México surgen movimientos fascistas que hacen temer a Diego que ha llegado la hora de representar sus ideas comunistas en otra parte. Resulta irónico que fuera precisamente en la imperialista patria del capitalismo.

Para los norteamericanos, entre los que el muralismo mexicano se había puesto de moda en los años 20, Rivera era una leyenda. En California no sólo pintaría sino que ofrecería numerosas conferencias y hasta le ofrecieron la posibilidad de dar clases en la Universidad y en el Colegio Mills.

Por su parte, Frida llevaba años soñando con viajar y especialmente a los Estados Unidos. Mientras Diego trabaja, Frida se entretiene explorando la ciudad por su cuenta, visitando sus museos y remozando su inglés. Su zona preferida es el barrio chino, donde le encanta perderse buscando sedas con que seguir confeccionándose sus increíbles faldas y chales. Frida no ha abandonado sus trajes de india, con los que causa asombro en la ciudad. En ocasiones, la gente se paraba en seco al verla.

Aunque les invitan a numerosas inauguraciones y fiestas, Frida apenas hace amigos íntimos, ni siquiera entre los artistas y mecenas que Diego le presenta, entre los que se encuentra el fotógrafo Edward Weston, que fuera amante de su ex amiga Tina Modotti, la cual toma algunas instantáneas de la pareja.

La única excepción es el cirujano osteólogo Leo Eloesser, jefe de servicio del Hospital General de San Francisco y profesor en la Universidad de Stanford, que era amigo de Rivera desde hacía años. En su primera visita, a causa de unas molestias en su pie derecho, el doctor Eloesser diagnostica a Frida una escoliosis congénita y la falta de un disco intervertebral.

Durante el resto de su vida, Frida confiaría más en sus consejos médicos que en los de cualquier otro galeno del mundo. Para expresarle su agradecimiento Frida le regala en 1931 el *Retrato del Dr. Leo Eloesser*.

No será el único cuadro del periodo. Paralelamente a su marido, pero de forma más discreta, Frida pinta, esforzándose en encontrar su propio camino como artista. De esta época son varios retratos de amigos y conocidos, como el

«Retrato de Eva Frederick» (1931), el «Retrato de Jean Wight» (1931) y el «Retrato de Luther Burbank» (1931). También el doble retrato «Frieda y Diego Rivera» (1931), que fue un regalo para el coleccionista Albert Bender, por facilitar los trámites de viaje de los Rivera a los Estados Unidos.

Frida escribe su nombre en alemán (con la «e» tras la «i») en la dedicatoria de este doble retrato en el que la artista exagera la ya de por sí notable diferencia de tamaño entre los esposos. Ante un fondo plano para que nada despiste la atención de los dos protagonistas, Frida pinta a un Diego enorme, con anchos pies bien separados y firmemente anclados al suelo, mientras que ella resulta pequeñita, casi frágil; sus pies, apenas perceptibles, parece que ni rozan el suelo. A él le caracteriza como pintor con una paleta y unos pinceles en la mano derecha. Con la izquierda sostiene la mano de ella, que no es nada más que su mujer, su compañera. Frida podría haberse sentido así en los primeros meses en el extranjero. Diego era una auténtica celebridad; ella, apenas un colorido apéndice. Pero no parece descontenta de este papel, sino sinceramente orgullosa de haberlo conseguido.

De entre los otros retratos mencionados cabe destacar el de Luther Burbank, por cuanto en él se ven por primera vez rasgos no realistas, injerencias de la imaginación de la artista y sus simbolismos, que progresivamente irán caracterizando el resto de su producción.

Burbank era conocido en toda California por sus inventivos injertos de frutas y verduras. En esta obra, Frida le representa como si fuera un cruce él mismo, mitad hombre mitad árbol (una idea que Diego había usado ya con Tina Modotti en el fresco de Chapingo); las raíces alimentándose de un esqueleto enterrado (que, sin embargo, vemos) o, lo que es lo mismo, la muerte que engendra la vida.

El 8 de junio el matrimonio Rivera-Kahlo regresa brevemente a México para que Diego retome, a petición del presidente Ortiz Rubio, el mural inconcluso de la escalera del Palacio Nacional. Encargan la construcción de la doble casa, unida por un puente, del barrio de San Ángel mientras se alojan en la casa familiar de Frida en Coyoacán.

Pero no tardan en regresar a Estados Unidos, esta vez Nueva York, cuyo recién inaugurado Museo de Arte Moderno acogería el 22 de diciembre de ese mismo 1931 la primera exposición retrospectiva dedicada a la obra de Rivera en los Estados Unidos.

La promotora, Frances Flynn Payne, tratante neoyorquina y consejera artística de los todopoderosos Rockefeller, era miembro de la junta directiva de la Asociación de Artes Mexicanas, creada para fomentar el intercambio cultural entre México y su vecino del Norte, que básicamente estaba financiada por el propio John D. Rockefeller Jr. y su cuñado, el banquero Winthrop W. Aldrich.

Protegidos por semejantes «padrinos», Diego y Frida habían llegado apenas un mes antes para prepararlo todo. En el muelle les esperaban, como a auténticas celebridades, además de numerosos amigos, los medios locales y no pocas personalidades del mundillo artístico.

El matrimonio se instala en el Barbizon Plaza, en la Sexta Avenida, al sur de Central Park, que Frida odiará porque la hacen de menos por no ser rica.

En el último piso del museo habilitan un estudio para Diego que trabaja frenéticamente supervisándolo todo e intentando acabar a tiempo las tres impresiones de Manhattan que debe añadir a los otros ciento cuarenta y siete cuadros, dibujos y acuarelas que componen la exposición. Tampoco falta, acompañado de Frida, a ninguna de las fiestas «prescritas» por la señora Payne para que entablen contacto con lo más granado del mundillo artístico y financiero neoyorquino. Pero Frida, que no tiene en qué ocuparse ese primer mes, se aburre, como confiesa al doctor Eloesser en una carta del 23 de noviembre: *Estos días han estado llenos de invitaciones a casas de gente «bien» y estoy bastante cansada, pero esto pasará pronto y ya podré ir poco a poco haciendo lo que a mí me dé la gana.*

Tres días más tarde, en una nueva carta a Eloesser, confiesa, crítica, su irritación contra los ricos y poderosos que, tan ajenos a su verdadero pensamiento, les festejan.

La hight society de aquí me cae muy gorda (...). Es espantoso ver a los ricos haciendo de día y de noche parties, mientras se mueren de hambre miles y miles de gentes... Y un poco más adelante dice, despiadada, de los Estados Unidos: *Viven como en un enorme gallinero sucio y molesto. (...) todo el confort del que hablan es un mito.*

Tras la exitosa inauguración, Diego está algo más libre para visitar Nueva York, con Frida; invitarla a los restaurantes o llevarla al cine. Además ésta empieza a sentirse menos tímida en general y más unida a alguno de sus nuevos amigos, sobre todo a Lucienne Bloch, hija del compositor suizo Lucienne Bloch, con quien las cosas no habían comenzado precisamente bien.

Según ha contado ésta, le había tocado sentarse al lado de Diego en un banquete ofrecido por la señora de Charles Liebman. Había pasado la noche centrada en el pintor, absorta en su conversación, mientras la celosa Frida le dedicaba en la distancia miradas llenas de enojo. Después de la cena, Frida, que la había tomado por otra de tantas coquetas empeñadas en seducir a su marido, se acercó a Lucienne airada y le espetó: «¡La odio!»

A pesar de esta impresionante declaración, Lucienne, que al día siguiente de aquella cena empezó a trabajar como asistente de Rivera, supo ganarse la confianza de Frida al demostrarle con el tiempo que no estaba interesada en seducir al hombre, sino en aprender del artista. Ambas se convertirían en íntimas, hasta el punto que Frida se convertiría años más tarde en madrina del hijo que Lucienne tuvo tras casarse con un asistente de Rivera, Stephen Dimitroff.

En abril de 1932 los Rivera se trasladan a Detroit, corazón de la industria norteamericana, donde permanecerán otro año. El Detroit Arts Institute ha encargado a Diego un mural precisamente sobre ese tema: la industria moderna, pagado por otro grande: Edsel Ford, presidente de la Ford Motor Company.

Se alojan frente al Instituto de las Artes, en un departamento del hotel Wardell. Existe una curiosa anécdota respecto a este hotel que se jactaba de ser la mejor morada de la ciudad. Era esto porque no admitía judíos (un estúpido contagio del antisemitismo reinante entonces en Europa). Cuando Diego y Frida descubren, a las pocas semanas, este detalle, tratan de irse, pues ambos reconocen sin recatos llevar sangre judía (ella, la mitad exactamente).

La dirección del hotel, que no cuenta con muchos huéspedes en ese momento y no desea perder el reclamo que supone alojar a las celebridades de quienes todos hablan en Detroit, no sólo retiró el enojoso cartel sino que, además, les bajó el alquiler de su apartamento.

La estancia en Detroit no será tan agradable como acabó siendo finalmente en Nueva York. Aunque les rodea y agasaja la misma gente «bien», Frida se siente menospreciada por la esnobista buena sociedad que considera de mal gusto sus folclóricos vestidos. Para vengarse redobla sus groserías. Tan pronto defiende encendidamente el comunismo tomando el té en casa de la hermana de Ford, como critica a la Iglesia hallándose entre católicos, o se «caga» en alguien simulando desconocer el significado de esa expresión en inglés.

En una cena en la mansión de Henry Ford, sabedora de que el empresario es furiosamente antisemita, aprovecha un momento de silencio general para preguntar con falsa ingenuidad: *Señor Ford, ¿es usted judío?*

Ford no le guardó, no obstante, rencor por esto, como demuestra el hecho de que en otra de sus fiestas bailara con Frida varias veces y algún tiempo más tarde les regalara incluso un pequeño coche con el que el matrimonio regresaría más tarde a México.

Fuera del área industrial, Frida encontraba Detroit sucio y feo.

Seguramente empezó a sentirse algo mejor cuando dio con los pequeños comercios que proveían de productos mexicanos a sus compatriotas exiliados y pudo guisar sus propios pucheros a pesar de las confesadas dificultades con la cocina eléctrica.

Pero, sin duda, contribuyó a su infelicidad el hecho de que empeorara su estado de salud. Empezó a dolerle seriamente el pie derecho. En el hospital Ford contacta con el doctor Pratt, colega recomendado por el doctor Eloesser, con quien Frida continúa su intensa correspondencia. Allí descubre que está embarazada. No era la primera vez que Frida se quedaba encinta. Antes de su primer viaje a los Estados Unidos, había sufrido un aborto en México cuando llevaba tres meses de gestación. Un médico le había asegurado que podría dar a luz mediante cesárea, a pesar de las secuelas del accidente tanto en su pelvis como en la columna vertebral. Pero el bebé venía en mala postura y Frida lo perdió. Debido a esta traumática experiencia, Frida pide al médico algo con que abortar, pero el remedio a base de quinina y aceite de ricino no da resultado. El doctor Pratt cree que, a pesar de las secuelas del accidente, Frida podría llevar a buen término esta nueva gestación y la convence para que lo intente bajo su supervisión. Llegado el momento, podrían practicarle una cesárea.

Frida necesita la opinión del doctor Eloesser al respecto. En una carta del 26 de mayo menciona una enfermedad en la sangre, al parecer de carácter hereditario, que transmitiría al bebé. No se siente muy fuerte y teme que el embarazo la debilite aún más. Y, lo que es peor, si Diego acabara demasiado pronto su fresco y tuvieran que regresar a México, ¿cómo sería para ella, estando embarazada de muchos meses o, peor aún, si tuviera que quedarse sola para dar a luz, sin la asistencia de nadie de su familia, obligada a viajar al poco con una criatura de escasos días...?

Los escenaríos que Frida se imagina son a cual peor. Por sus palabras Frida parece considerar un engorro al bebé (que Diego no quiere), ya que, una vez nacido, dificultaría los obligados viajes de la pareja por razones laborales. Seguramente no cree que el niño pueda unirles más y con cierta razón, pues no había sucedido así para Diego en las anteriores ocasiones.

Lo más importante del mundo para Diego, y Frida opina que *con sobrada razón*, es su trabajo. Y ella no quiere dejarle solo por nada del mundo.

Antes de que llegue la respuesta de su amigo desde San Francisco, Frida ya ha decidido, por su cuenta, *dejarse a la criatura*.

Tiene que guardar reposo, pero en el apartamento se aburre. Diego no puede cuidar de ella y Frida no soporta la inmovilidad a la que tanto ha debido plegarse en el pasado.

Curiosamente, tampoco siente deseos de pintar. Realiza algunos esbozos aquí y allá, sin mucho entusiasmo. En junio viene a visitarles Lucienne Bloch, quien se quedará una temporada en el sofá cama de su apartamento. Aunque Frida padece de náuseas y dolor en el útero, parece encantada con el bebé que crece en su seno. Hasta que el 4 de julio, entre espantosos dolores, lo pierde.

Pasa trece días en el hospital Henry Ford con hemorragias continuas que la siguen debilitando. No hace más que llorar. Le cuesta aceptar que tal vez nunca será capaz de tener un hijo. Ella, que tan estoicamente soportó la ronda permanente de *la pelona* cuando el accidente, no tiene reparos ahora en gritar que querría estar muerta.

Pide a los médicos un libro de medicina para ver qué aspecto tendría su hijo en el momento de su muerte. Se lo niegan. Es el mismo Diego quien se lo brinda, en la certeza de que Frida creará con ello una obra de arte.

En efecto, Frida dibuja a lápiz, con todo detalle, el bosquejo de un feto masculino. Su *Dieguito chiquito* tendría que haber sido así en el momento de su muerte, a los tres meses y medio, pero el feto ni siquiera había llegado a formarse.

Cuando la voluntad de vivir vuelva a apoderarse de Frida, ésta se sacudirá la apatía pintando de nuevo a ese Dieguito chiquito, pero en un lienzo tan importante como que abre toda una vía expresiva que no tardará en dar fama mundial a la artista. Se trata de *Henry Ford Hospital* (1932). En este lienzo se pinta desnuda, postrada en una cama de hospital que parecería suspendida en el vacío, sobre un árido páramo, con la lejana silueta de una planta industrial al fondo.

Desvalida, indefensa, Frida llora impotente mientras se desangra; su vientre hinchado aún por el embarazo. En torno a la cama, unidos a la mujer por cintas rojas —que recuerdan a las venas que comunicarán más tarde a las dos Fridas de su famoso doble autorretrato— varios elementos, entre ellos, el rosado feto masculino, hacen referencia a la fecundidad y a su aborto. Frida está, sobre todo, muy sola.

Según recuerda Rivera, Frida siguió intentando tener un hijo, abortando al menos en otra ocasión, como escribió en su diario en 1944. Y eso a pesar de que Diego no lo deseaba. Él ya había sido padre en varias ocasiones. Primero de Marika, en París, habida con Marievna Vorobiev, la amante rusa que alternaba con su «mujer» oficial, la también pintora, y también rusa, Angelina Beloff. Luego en México, otras dos niñas (Lupe y Ruth) con Lupe Marín.

Volcándose en estas últimas, así como en sus únicos sobrinos, Isolda y Antonio, los hijos de Cristina, Frida compensaría su falta de hijos propios. Su amor maternal lo destinó además a sus numerosos amigos y a todas las mascotas domésticas (perros, gatos, loros, monos, hasta un cervatillo) de las que gustaba rodearse en su casa.

Frida compensa la dolorosa certeza de que nunca podrá ser madre con la pintura, un antídoto al que se aferra para explicar y dar sentido a su vida.

Así, la otra gran obra de este año es «Autorretrato en la frontera entre México y los Estados Unidos» (1932). Frida se dibuja sobre un pedestal de piedra con un elegante vestido rosa hasta los pies y largos guantes de encaje. En la mano derecha sostiene, en un gesto suyo habitual, un cigarrillo. En la izquierda, cruzada sobre la anterior, un banderín mexicano. Tras ella el fondo se divide en dos mundos totalmente opuestos. Por un lado el mundo mexicano, con su rico pasado maya y azteca, simbolizado por una pirámide y algunas esculturas precolombinas. Es un mundo primitivo, dominado por las fuerzas de la Naturaleza simbolizados por la luna y el sol en lo alto del cielo, y por las innumerables flores y plantas del suelo, cuyas raíces se adentran profundamente en la tierra.

En la otra mitad apenas hay vida. Sólo técnica, industria, desarrollo, progreso... Siluetas de rascacielos desprovistos de ventanas y por tanto de cualquier referencia a sus posibles habitantes; chimeneas echando humo a una atmósfera tan gris que parece no contener astros en su firmamento, sólo la bandera de las barras y estrellas, flotando en una nube de humo. En el suelo, en lugar de vegetación, aparatos eléctricos con sus cables entrando en la tierra, en un irónico paralelismo con las raíces que los vuelve aún más tristes. La artista se halla entre esos dos mundos. Anhela México, reunirse con su familia, volver a ver su casa, su barrio...

CAPÍTULO V

L A artista vería cumplido su deseo, pero debido a un acontecimiento dramático: el 3 de septiembre recibe la noticia de que su madre, a quien habían operado de un cáncer de pecho medio año antes, está agonizando. Frida trata de comunicar con su familia durante horas sin que le den línea. Más tarde averiguará la razón en un periódico: el río Grande se había desbordado, incomunicando México con su vecino del Norte.

Para agudizar su angustia, Lucienne le confirma que no hay vuelos directos a México desde Detroit. Frida abomina de los Estados Unidos donde todos se jactan del progreso, pero cuando ella más lo necesita no existe ni un simple avión que la lleve junto a los suyos. Cuando Diego las deja a Lucienne y a ella al día siguiente en un tren con destino a México, Frida continúa llorando, como anota Lucienne en su diario: Tanto por tener que dejar a Diego como por no saber el estado de su madre. Estaba temblando como una niña.

El viaje será largo y pesado debido a las intensas lluvias que han desbordado, como contábamos, el río Grande.

Sólo el extraordinario coraje de Frida y su fuerza de voluntad pudieron sostenerla en un trayecto particularmente extenuante para una mujer que había abortado hacía dos meses y que continuaba sufriendo hemorragias.

El primer día recorrieron Indiana y Missouri sin problemas, haciendo un alto en San Luis, pero a la noche siguiente a causa de las inundaciones, tras avanzar durante horas con muchísima lentitud por Texas, el tren tuvo finalmente que detenerse en la frontera, ya que no se podía avanzar por casi ninguno de los puentes. Tras doce horas de insufrible espera, las dos mujeres deciden abandonar el tren y tomar un autobús hasta Nuevo Laredo, donde accederían a otro tren. Todas las complicaciones añadidas perturbaban aún más a Frida, que sufría horriblemente.

No llegarían a México D. F. hasta la noche del 8 de septiembre, cuatro días después de su partida de Detroit. En la estación la esperan, emocionados, sus hermanas y cuñados. La primer anoche la pasará en casa de Mati y sólo al día siguiente por la mañana, algo más recuperada, Frida visita, por fin, a su madre en Coyoacán. La mujer se halla en un estado crítico. Moriría una semana más tarde, el 15 de septiembre, después de que le extrajeran en una operación ciento sesenta cálculos biliares.

Vestida de luto, como el resto de sus hermanas, Frida no deja de sollozar. En las fotos que le toma su padre poco después se la ve aún de negro, muy seria y muy delgada, el rostro consumido por el dolor, con una honda tristeza antes en la mirada. Las restantes cinco semanas Frida se dedicará en cuerpo y alma a su padre, a quien saca a pasear devota, y a sus hermanas, con las que se siente más unida que nunca debido al compartido dolor. Cuando a mediados de octubre, ella y Lucienne vuelven a irse, todos están en la estación de ferrocarril para decirles adiós. Hasta Lupe Marín ha ido a despedirse. En total, casi una veintena de personas. En Detroit, en cambio, sólo las aguarda Diego. En ausencia de Frida, Diego había adelgazado tanto que a su esposa le costó reconocerle.

Apenas regresada, y tal vez para recuperarse, Frida vuelve a pintar. Con «Mi nacimiento» (1932) inicia una serie de obras en las que trata de representar lo que ha sido su vida hasta el momento. Con la reciente muerte de su madre y de su último hijo no nacido, debió resultar muy doloroso para Frida pintar este lienzo en el que, de una manera extraña, mezclando ambos acontecimientos, la artista se da a luz a sí misma. Por un lado se ve su cabecita de bebé (reconocible por la frente con las cejas unidas) saliendo de la vagina de una mujer cuyo rostro permanece tapado por una sábana, como se hace con los difuntos. Frida explicará más tarde: *Mi cabeza está cubierta porque mi madre murió durante el período en que pinté el cuadro.*

La cama, de madera, es la de su madre, donde realmente vieron la luz Frida y Cristina. En la habitación no hay nada más que un cuadro sobre el cabecero de la cama, el retrato de una Virgen de los Dolores, que sangra atravesada por puñales y, por supuesto, llora.

Según Frida, esta representación, no tenía ningún simbolismo, la incluyó en el lienzo como parte de sus recuerdos. Matilde Calderón era, como hemos dicho, muy religiosa. El cuadro, a diferencia del anterior, «Hospital Henry Ford», está desprovisto de elementos fantásticos, excluyendo el hecho de que Frida se dé a luz a sí misma, claro está. Años después, Frida anotaría en su diario, al lado de varias representaciones de sí misma: *La que se dio a luz a sí misma... la que escribió el poema más maravilloso de su vida.*

Su vida, sin embargo, en aquella época no era ni mucho menos maravillosa. Aquel eslabón perdido que era ella, sin madre a la que volverse, ni hijo en el que proyectarse, sucumbía a menudo a la melancolía. Hace un frío horrible y no tiene mucho en que entretenerse, como no sea pintar.

Además, con Diego las cosas no andaban bien. La dieta le volvía irascible y además tenía que trabajar contra reloj, pues le aguardaban nuevos proyectos en el Rockefeller Centre de Nueva York y en Chicago. Con horarios incompatibles (él, a menudo, trabaja de noche), la pareja se distancia. Diego le acusa de no quererle como antes, pues Frida está más pendiente de su propio dolor que de su marido. Continúa llorando a menudo, lo que a él pone muy nervioso. Lucienne es la única con quien puede desahogarse.

Por fin, el 13 de marzo de 1933, se inauguran oficialmente los frescos del Instituto para las Artes de Detroit, que no parecen gustar a nadie.

Para las distintas iglesias, son sacrílegos; para los conservadores, «comunistas». Las mentes más timoratas los califican de «obscenos». Pero si muchos ven en el trabajo de Rivera una burla contra el espíritu de la ciudad y sus generosos patrocinadores sugiriendo destruirlos, algunos grupos de obreros se movilizan en su defensa, organizándose para vigilarlos y protegerlos. Diego no se lo puede creer, está eufórico con la reacción de los trabajadores, que le parece «el principio de la realización de mi sueño de toda la vida».

Una semana después de esta inauguración, la pareja regresa a Nueva York, volviéndose a instalar en un apartamento del Barbizon Plaza. Aquí han dejado muchos amigos, con los que Frida se reúne a menudo. Además está ya mucho más recuperada de su pena. Disfruta ocupándose de su apartamento, leyendo, acudiendo al cine o al teatro y, sobre todo, yendo de compras. Está tan entretenida durante los ocho meses y medio de esta segunda estancia en nueva York, que apenas pinta. Sólo empieza un cuadro, «Allí cuelga mi vestido», que termina de regreso en México.

Entre tanto, Diego trabaja hasta quince horas diarias. Quiere terminar su fresco en el edificio de la RCA para el 1 de Mayo, Día Mundial de los Trabajadores. Nunca lo hará. El 24 de abril un reportero del *New York World Telegraph* tiene acceso a los dos tercios del mural que Rivera ya había completado. Las comunistas ideas expresadas por el pintor mexicano en su fresco —en el que domina, curiosamente, el color rojo— mueven al diario a publicar un demoledor artículo titulado: «Rivera pinta escenas de actividades comunistas y John D. Jr. paga las cuentas».

La ironía del artículo no sienta bien en el centro Rockefeller que reacciona intentando presionar de varias maneras al pintor. Por ejemplo, los guardias de seguridad provocan a sus ayudantes o se sustituye el sólido andamio de Rivera por estructuras más inestables y peligrosas.

Rivera reacciona dibujando en la figura de un líder obrero el rostro de Lenin para el 1 de Mayo. Es el colmo. Nelson Rockefeller, que había firmado el contrato de Rivera y defendido su arte cuando la controversia de Detroit, le pide ahora, por escrito, que sustituya el rostro de Lenin por una cara anónima que no ofenda a nadie. Rivera se niega. Argumenta que eliminando el rostro de Lenin se perdería el sentido del mural. Se ofrece a contrarrestarlo incluyendo en el mismo a Abraham Lincoln.

Cinco días más tarde recibe, asombrado, un cheque con su liquidación y una carta de despido. También se anula el encargo para la Feria Mundial de Chicago. El mural fue cubierto y a pesar de las manifestaciones de apoyo, en la prensa y ante el centro Rockefeller, de sus amigos y de muchos intelectuales, exigiendo el respeto a las ideas del artista, el fresco no sólo no llegó a concluirse, sino que fue destruido meses más tarde. Con el dinero de la liquidación Rivera pudo permitirse trabajar en la Nueva Escuela para Trabajadores.

Frida vuelve a estar mal de salud; en los últimos meses en Nueva York, tenía que pasar la mayor parte del tiempo en reposo, con el pie derecho, casi paralizado, en alto. Se siente muy sola. Y al dolor físico vino a sumarse el psíquico por el romance de Diego con Louise Nevelson, una de sus asistentes, traición de la que todos parecían estar al corriente menos ella.

Frida empieza a obsesionarse con regresar a México, como manifiesta en las cartas que escribe en esa época, y en el único cuadro que empieza a pintar: «Allí cuelga mi vestido».

Se trata de uno de sus vestidos de tehuana, de falda verde rematada en una puntilla blanca y blusa marrón con un adorno bordado, que cuelga de un gancho, como puesto a secar, en medio de los grises rascacielos de Manhattan. En este collage, único en su producción, la Kahlo realiza una crítica del capitalismo norteamericano, mostrando todos los símbolos de su decadencia y la destrucción de los valores humanos. Frida no se incluye en la obra. Emocionalmente, se halla muy lejos de ese mundo.

En el otoño las discusiones a cerca del regreso a México son constantes. A pesar de todo, a Diego le gustan los Estados Unidos, donde intelectuales y artistas le admiran y adulan. Para él regresar a México es retroceder en el tiempo. Cree que la revolución se hará en un gran país capitalista y no desea perdérsela cuando llegue el momento. Los frescos de la Nueva Escuela para Trabajadores se presentan al público a primeros de diciembre. Poco después se le agota definitivamente el dinero. Varios amigos tienen que juntar dinero para pagar a la pareja el pasaje en barco a México.

CAPÍTULO VI

— Ruptura y renacimiento —

L A original doble casa que su amigo, el arquitecto Juan O'Gorman, les estaba construyendo en San Ángel con el geométrico estilo propio de la Bauhaus, está lista para acoger a la pareja cuando ésta regresa de los Estados Unidos. Este nuevo hogar está compuesto por dos edificios cúbicos pintados en rosa (el de Diego) y azul (el de Frida), y rodeados por un muro de cactus.

Las dos casas no eran idénticas. La de Diego, lógicamente, era mayor. Él era el artista reconocido gracias a cuyo trabajo se mantenían. En la casa rosa se hizo construir un gran estudio y otros espacios donde recibía a sus invitados y a los compradores. La casa de Frida, con menores necesidades públicas, era más pequeña, ajustada a la naturaleza más íntima de sus necesidades. Con todo, contaba con tres pisos rematados por una azotea a través de la cual se accedía, por un puente, al estudio de Diego.

De regreso en su país, y a pesar de que no le faltan encargos, Rivera sufre un decaimiento físico y psíquico. Frida se culpa de la aflicción de su marido. Ella le ha arrastrado de vuelta a México y ahora él parece no acabar de encontrar su sitio en su propio país.

Tampoco ella se encuentra bien físicamente. A lo largo de 1934, las molestias en el pie derecho se agravan y, además de experimentar un nuevo aborto, Frida tiene que hacerse operar de apendicitis. Y eso cuando en su casa menos abunda el dinero. Diego trabaja por rachas a causa de su propia depresión. Ella no pinta absolutamente nada.

Frida se apoyará sobre todo en su hermana Cristina, a quien su marido había abandonado tras el nacimiento del segundo hijo.

En esa época, Cristina había vuelto con sus dos hijos a la casa azul de Coyoacán, donde sobrevivía a la viudez Guillermo Kahlo. Junto a su compañera de correrías de la infancia, Frida recupera un poco de alegría. Ellas dos siempre se habían entendido a la perfección y permanecido la una muy cerca de la otra.

Durante su niñez, como ni siquiera se llevaban un año, jugaban juntas a todo; Cristina siempre secundaba las bromas de Frida y sus maliciosas ideas, como irse de pinta en las clases de catequesis o reírse de los demás miembros de su familia mientras, empacados, daban gracias por los alimentos en la mesa. Ella había hecho mil veces de correo para Frida cuando la familia le dificultaba escribirse y verse con su primer amor, Alejandro.

Tras el accidente de Frida, una vez salida del hospital, había sido Cristina quien la había cuidado y entretenido. Había sido su enfermera y su enlace con el mundo exterior. Más tarde siempre la había ayudado a cocinar y limpiar su casa cuando Frida a causa de sus dolencias no podía ocuparse de todo sola. También había ejercido de secretaria con el papeleo del matrimonio.

Cristina es la única hermana que hace a Frida tía. A través de Cristina, a la que han casado a los diecisiete años con un hombre mucho mayor, sin amor, Frida conocerá la experiencia de la maternidad. Y Cristina, de un modo complementario, vive a través de su hermana mayor una existencia mucho menos prosaica. Si algo no podía esperar Frida de su hermana, era que la traicionara con su propio marido, así que es ella misma quien sugiere a Cristina que pose para uno de los desnudos alegóricos del mural que Rivera elaboraba en la Secretaría de la Salubridad. Éste convierte a la más joven de sus cuñadas en una Eva voluptuosa que termina por seducirle también a él.

¿Por qué un golpe tan bajo? Diego se halla confundido, con la moral baja. No puede tener relaciones sexuales con Frida porque los médicos se lo han desaconsejado a raíz del último aborto. Además la culpa (lo mismo que se culpa ella) de haberle obligado a regresar a México. Tenía práctica de engañarla, desde el principio de su vida en común, con otras mujeres, pero hacerlo con su propia hermana era demasiado cruel...

Diego nunca se disculpó a este respecto. Simplemente explicó en su biografía que «cuanto más amaba a una mujer, más quería lastimarla».

Frida —reconoció— *sólo fue la víctima más evidente de esa repugnante característica.*

En cuanto a Cristina, es probable que no hubiera maldad en su conducta sino mucha confusión. Puede que también ella sucumbiera al encanto del maestro, a su legendaria capacidad de seducción, o a las encendidas declaraciones de éste sobre cuán desesperadamente la necesitaba, en aquellas horas bajas, para recuperar la felicidad perdida.

¿Quiso Cristina desquitarse de una hipotética rivalidad con su inteligente hermana que, al contrario que ella, poseía un don artístico, y además, merced a su brillante casamiento con Rivera, había tenido la oportunidad de viajar, codearse con celebridades y vivir regalada con los privilegios sólo reservados a los ricos y famosos? ¿Trató de apoderarse de algo de su mundo por la misma vía que aparentemente había seguido Frida? ¿O simplemente era una mujer sola que creyó que el amor llamaba sinceramente a su puerta aunque fuera en la figura teóricamente prohibida de su cuñado?

Sea como fuera, la relación entre ambos duró más tiempo del que a primera vista se habría podido predecir, en torno a un año y medio. Nadie sabe con exactitud cómo ni cuándo empezó o acabó. Se cree que se inició en torno al verano de 1934 y aún continuaba cuando Frida pintó uno de sus cuadros más desagradables y sangrientos: *Unos cuantos piquetitos* (1935).

Frida intenta disimular ante los demás su padecimiento por la traición de ambos, hasta el punto de que muchas personas de su entorno ignoran que el marido y la hermana están teniendo un romance.

A principios de 1935, Frida se mudó sola de la casa de San Ángel a un apartamento en la céntrica Avenida Insurgentes. Incluso consultó con uno de sus viejos amigos «cachuchas», Manuel Gómez Ramírez, la posibilidad de divorciarse de Diego. Pero no por esto dejó de verle casi cada día. No podían estar el uno sin el otro.

Tratando de ser ecuánime, él le regaló (en otro color) un juego de muebles idéntico al que había comprado para el piso de Cristina en la calle de Florencia.

Pero Frida sufre «horriblemente». Así se lo escribe al doctor Eloesser el 24 de octubre: *He puesto todo lo que está de mi parte para olvidar lo que pasó entre Diego y yo y vivir de nuevo como antes. No creo que lo logre yo completamente, hay cosas que son más fuertes que la voluntad de uno, pero ya no podía seguir en el estado de tristeza tan grande como estaba, porque iba yo a grandes pasos a una neurastenia de esas tan chocantes con las que las mujeres se vuelven idiotas y antipáticas, y estoy siquiera contenta de ver que pude controlar este estado de semidiotez en el que estaba ya.*

Frida se convence con el paso de los días de que sólo trabajando se aminorará su pena y volverá a ser feliz. Quiere superar su desánimo y recuperar una cierta normalidad. Las dos obras de este desesperado periodo son devastadoras.

En la mencionada *Unos cuantos piquetitos* (1935) reproduce con su imaginación un cruel episodio recogido por un periódico. Un hombre había asesinado a su joven amante acribillándola a cuchilladas, pero cuando comparece ante el juez argumenta en su insostenible defensa que sólo le había dado «unos cuantos piquetitos».

Observando el cuadro, y una vez superada la primera impresión de horror ante el exceso de sangre, el espectador llega a darse cuenta de que se trata de una caricatura, de que no deja de reflejar un cierto humor negro. Frida, una vez más, de acuerdo con su talante netamente mexicano, se burla del dolor y de la muerte.

Pintado en un estilo muy primitivo, el cuadro muestra una habitación en la que sólo hay una cama sin cabecero donde yace acribillado el cuerpo sin vida de una mujer. Ese cuerpo retorcido está desnudo, a excepción de un zapato y una vulgar media con liga que remiten a una prostituta. A su lado, blandiendo aún el puñal con su mano derecha, el asesino, vestido hasta el sombrero, parece orgulloso del crimen, con un gesto bobalicón que denota hasta qué punto no es consciente del daño que acaba de causar. Sobre sus cabezas, una paloma negra y otra blanca (símbolos, según Frida, del bien y del mal) sostienen el título de la obra.

La sangre de la mujer no sólo se extiende por la cama y el suelo y la blusa del asesino, sino que ha salpicado hasta el mismo marco del cuadro.

Frida no puede ser más explícita. Sus heridas han sangrado hasta extenuarla, pero piensa afrontar este nuevo golpe de la vida —y los que vengan— con el mayor sentido del humor posible.

Para aclarar sus sentimientos, necesita alejarse aún más de Diego, así que a principios de julio regresa a Nueva York. Vuela con dos amigas norteamericanas, Mary Shapiro (que también se acababa de separar de su marido) y Anita Brenner, en un avión privado que, por mil vicisitudes, emplea seis días en llegar. Al piloto lo habían conocido en una cena en casa de Diego el día anterior a su partida e impulsivamente habían cancelado sus boletos de tren para volar con él.

En Nueva York vuelve a ver a Lucienne y a los Wolfe (Bertram y Ella). Charlando con sus amigos, llega a la conclusión de que, a pesar de sus numerosas traiciones, ama a Diego y le necesita. No quiere ni puede vivir separada de él.

El 23 de julio de 1935 le escribe: *En el fondo tú y yo nos queremos muchísimo, por lo cual soportamos un sinnúmero de aventuras, golpes sobre puertas, imprecaciones, insultos y reclamaciones internacionales, pero siempre nos amaremos... Se han repetido todas estas cosas a través de los siete años que llevamos juntos y todos los corajes que he hecho sólo han servido para hacerme comprender por fin que te quiero más que a mi propio pellejo y que tú sientes algo por mí, aunque no me quieras en la misma forma. ¿No es cierto?... Espero que eso siempre sea así y estaré contenta.*

A finales de 1935, cuando la relación entre Diego y Cristina ha concluido, Frida regresa a San Ángel; esta vez, sin hacerse ilusiones sobre el carácter infiel de Diego. Éste seguirá con sus aventuras extramatrimoniales, pero a Frida ahora ya no le importan tanto, pues ella misma ha decidido entregarse a cuantos hombres y mujeres la seduzcan. Como suele decirse, «lo que no mata te vuelve más fuerte». De alguna manera, superar la traición de Diego con Cristina ha vuelto a Frida más independiente y segura de sí misma. A partir de ahora también ella se liberará sexualmente, dando rienda suelta a su coquetería con intrepidez y franqueza.

En cuanto a Cristina, Frida la perdonará de todo corazón recuperando la preciosa complicidad que siempre habían tenido. Aunque Frida visitaba a menudo a sus otras hermanas, sin duda Cristina era su preferida, su mayor consuelo y confidente, aquella con la que más tiempo pasaba y a cuyos hijos adoraba como propios y consentía toda clase de caprichos, ayudando a pagar sus gastos escolares y hasta las lecciones privadas de música y baile. Los tres se convirtieron en parte integrante de la casa de los Rivera. Los niños, por su parte, siempre correspondieron al cariño de la tía, que se había convertido en una segunda madre.

El principal romance de Frida en 1935 será el que la una al escultor Isamu Noguchi. Nacido en Los Ángeles en 1904, de madre americana y padre japonés (un conocido poeta), se había criado en el país nipón entre los dos y los catorce años. Cuando regresa a los Estados Unidos comienza la carrera de Medicina en la Universidad de Columbia, pero pronto la abandona en favor de sus estudios artísticos.

Se forma brevemente en la Escuela de Arte Leonardo da Vinci, Nueva York, antes de viajar a París para depurar sus formas bajo el magisterio de Brancusi.

Durante dos años se empapa en la capital francesa de vanguardismo, interesándole particularmente el surrealismo y la abstracción. Regresa a Nueva York en 1929 para su primera exposición individual en la Eugene Schoen Gallery. Para cuando, en 1935, recibe la beca de la Fundación Guggenheim que le permitirá viajar a México, el apuesto escultor ya había alcanzado cierto renombre en los ambientes artísticos neoyorquinos.

En México D. F. recibe el encargo de decorar una de las paredes del mercado Abelardo L. Rodríguez con un mural en relieve a base de ladrillo tallado y cemento policromado.

Durante los ocho meses que duró la obra, Noguchi tuvo la oportunidad de conocer y enamorarse de la apasionada Frida, sin importarle que Diego anduviera por ahí amenazando de muerte a quien se atreviera a tener una aventura con su mujer. Seguramente a Noguchi, que sabía lo mujeriego que era Rivera, le parecería injusto que Frida no pudiera entregarse al amor libre con la misma libertad. Durante los meses que duró su romance se citaron en diversos lugares, pero sobre todo en casa de Cristina.

Con Noguchi, Frida iba a menudo a bailar. Frida, como ha comentado el escultor, sentía pasión por todo lo que no podía hacer.

Existen varias versiones sobre cómo terminó esta relación, a cual más vodevilesca. Una cuenta que, decididos a poner un apartamento donde verse a su gusto, los amantes habían encargado una serie de muebles a medida y que el carpintero, habiendo reconocido a Frida, y creyendo que los encargos eran para ella y su marido, fue a presentarle la factura a Diego, de modo que éste se enteró de todo.

Otra versión dice que, alertado por este u otro medio de la infidelidad de Frida, Diego fue corriendo, pistola en mano, a su casa, donde Frida se hallaba en ese momento «atareada» con Noguchi. Uno de sus sirvientes avisó a la patrona de la llegada de Diego enfurecido. El escultor trató de vestirse a toda prisa, pero uno de los perritos de Frida se llevó su calcetín. Sin tiempo que perder, el amante salió por la ventana, trepó por un árbol hasta la azotea, abandonando el calcetín a su suerte. Ésta fue, sin embargo, la prueba que Diego necesitaba para que Frida pusiera fin a la relación so pena de ver a su amante abatido por las balas del enfurecido marido.

Frida y Noguchi volvieron a verse alguna vez más en México y Nueva York, pero no recuperarían su idilio.

Tras su regreso a los Estados Unidos, Noguchi comienza a interesarse por el diseño de muebles, espacios públicos, monumentos y jardines, añadiendo esta faceta a la de escultor. No menos interesante fue el trabajo desarrollado como escenógrafo, sobre todo para la legendaria Martha Graham, revolucionaria de la danza moderna, con quien colaboró en veintiuna de sus obras.

Noguchi murió en Los Ángeles en 1988, consagrado como uno de los diseñadores y escultores más importantes del siglo XX, un artista multidisciplinar que había sabido aunar perfectamente en sus obras la sensibilidades de Oriente y Occidente.

CAPÍTULO VII

— El viejo revolucionario —

En 1936 Frida apenas pinta. Sólo se tiene constancia de el cuadro *Mis padres, mis abuelos y yo*, en el que evidencia su amor por sus raíces, y de un autorretrato, hoy perdido, que pensaba regalar a su querido amigo, el doctor Eloesser.

En cambio, reanuda su actividad política. Cuando en julio de ese año estalla la guerra civil en España, funda con otros simpatizantes de la causa republicana un comité de solidaridad para ayudar a este bando frente a los sublevados franquistas. Su conciencia política se ha visto avivada por esa lucha fratricida que suponía para todas las potencias mundiales una especie de ensayo general del gran enfrentamiento posterior contra el emergente fascismo. Como miembro de la Delegación del Exterior, Frida debía contactar con personas y organizaciones de fuera de México que pudieran aportar fondos para la causa. En una carta al doctor Eloesser, en la que le insta a hacer propaganda de la causa en San Francisco, le asegura que lo que a ella verdaderamente le gustaría sería *irme a España, pues creo que ahora es el centro de lo más interesante que pueda suceder en el mundo...*

Además, aunque no se afilia como Diego a la Liga Trotskista, sí se suma a la simpatía que siente su marido por Trotski, paladín del «internacionalismo revolucionario», perseguido sin cuartel por oponerse a las ideas estalinistas de «construcción del socialismo en un solo país».

Ambos lideran una campaña para dar asilo político en México al heroico líder, después de que Noruega hubiera decidido expulsarle, cediendo a la presión de Moscú.

Trotski había nacido en Ucrania en 1879. Estudiante de Matemáticas primero y de Derecho después, fue detenido por revolucionario en 1898 y deportado a Siberia, de donde se evadió para reunirse con Lenin en Londres, aunque en 1903 se opondría a éste desde la facción menchevique. Participa activamente en la fallida revolución de 1905, como presidente del soviet de San Petersburgo. A consecuencia de la derrota, tuvo que volver al exilio, esta vez en Viena. En mayo de 1917 regresa a Rusia para organizar la revolución de octubre. Como comisario del pueblo para la guerra, crea y dirige el ejército rojo durante la guerra civil (1918-1920), contribuyendo con su habilidad militar al triunfo de la Revolución soviética. En 1925 Trotski se opone a la doctrina estalinista de la «construcción del socialismo en un solo país», en nombre de la «revolución permanente», por lo que será relevado de sus funciones como comisario del pueblo. Cuando el XV Congreso del Partido Bolchevique le expulsa de Moscú, se exilia con su esposa en Alma Ata, ciudad del Asia Central soviética, hasta que, dos años más tarde, se les expulsa definitivamente del territorio soviético.

Durante nueve años vaga de un país a otro: de la isla de Prinkipo, frente a Turquía, pasa a Francia (1933-1935), luego Noruega (1935-1936), criticando no sólo las ideas de Stalin, sino también su creciente personalismo y el excesivo fortalecimiento de su burocracia. Se sabe que Stalin, en su delirio depurativo, ha ordenado a varios agentes que acaben con Trotski, por lo que éste no puede desplazarse sin su corte de fieles guardias personales armados. El sanguinario líder soviético va eliminando poco a poco a todas sus personas queridas. Si en 1935 había hecho desaparecer a uno de sus hijos, Serguei, en enero de 1938 matará al otro, Liova. Stalin no logra crear un vacío político en torno a Trotski y se venga en quien puede.

No era difícil que Diego Rivera se identificara con Trotski cuando el PCM, acérrimo seguidor del estalinismo, tampoco cesaba en su intento de humillarle. Por eso, cuando Diego recibe un telegrama de Nueva York en el que Anita Brenner le urgía a interceder ante el presidente Lázaro Cárdenas para que concediera a Trotski asilo político en México, Diego parte casi de inmediato, junto al líder de los trotskistas mexicanos, Octavio Fernández, hacia el norte del país, donde el presidente se hallaba supervisando uno de sus programa de reforma agraria.

Cárdenas, amigo de Frida y Diego, que desde su subida al poder en 1934 se esforzaba por democratizar y reformar México, aprobó la solicitud de asilo de Trotski y su esposa, Natalia Sedova, a condición de que el ruso no se entremetiera en los asuntos internos de México.

Tras varias semanas de travesía a bordo del buque *Ruth*, el 9 de enero de 1937 llegaron al puerto de Tampico, donde fue a recibirles Frida, en representación de su marido, que se hallaba enfermo en el hospital. Cárdenas envió un tren especial para recoger a los recién llegados y llevarles a la capital.

Para despistar a posibles agentes de la GPU se organizaron diversas maniobras de despiste, como un grupo reuni-

do ante la casa de los Rivera en San Ángel, como si estuvie-
ran esperando a Trotski y su esposa, mientras otros aguardaban ansiosos en la principal estación de ferrocarril. En
realidad descendieron antes de llegar a México D. F., en la
pequeña estación de Lechería, donde esta vez sí esperaba
Diego, con un permiso especial de sus médicos.

Generosa, Frida puso a disposición de Trotski y su esposa su casa familiar de Coyoacán, donde vivieron hasta abril
de 1939 sin pagar por ella ninguna renta. La casa se hallaba
vacía, pues Guillermo Kahlo vivía con su hija Adriana y
Cristina se había mudado con los niños a otra casa, no muy
lejana. El viejo fotógrafo sólo conservaba un cuarto oscuro
en el que practicar de cuando en cuando su viejo oficio.

Como los recién llegados no hablaban español, tuvieron
que contar con Frida como guía e intérprete. Ésta les cedió
algunos de sus sirvientes (era imprescindible rodearse de gente de absoluta confianza) y hasta convenció a su hermana pequeña para que les hiciera de chófer de cuando en cuando.

La casa se reformó un poco para garantizar la seguridad
de sus nuevos huéspedes. Las ventanas de la casa que daban
a la calle se cerraron con ladrillo y, para evitar que les ataca-
ran desde la casa adyacente, Diego la compró, desalojando
a su vecino y uniendo ambas propiedades.

A seguro dentro de la casa azul, Trotski reanudó sus actividades, retomando la ingente biografía de Lenin, que había comenzado dos años antes, y solicitando la creación de
un comité internacional que verificara las «evidencias» uti-
lizadas en su contra en los juicios de Moscú que habían supuesto su caída. Dicho comité, presidido por el filósofo norteamericano John Dewey, terminaría dictaminando su
completa inocencia.

En los primeros tiempos, las dos parejas disfrutaban mucho de su mutua compañía. Solían comer juntos y organi-

zar numerosas excursiones al campo y a lugares de interés histórico en los alrededores de la capital.

Rivera y Trotski se admiraban mutuamente, no en vano el soviético había declarado en la revista «Partisan Review» (agosto/septiembre de 1938) que Rivera era el artista que mejor había interpretado la revolución de octubre y que sus frescos no eran simplemente cuadros sino una parte viviente de la lucha de clases.

Diego era de las pocas personas que podían verle cuando lo deseara sin concertar una cita previa y sin la presencia de terceras personas. Para el mexicano, la valentía y la autoridad moral de Trotski, así como su compromiso y fidelidad con los comunes ideales, eran todo un ejemplo.

A Frida le fascinó, sin duda, hallarse ante una auténtica leyenda. El héroe revolucionario destilaba seguridad en sí mismo, era de una brillantez intelectual inaudita y poseía la fuerza de carácter que ella siempre había admirado. A pesar de su edad (en torno a los sesenta), se conservaba en plena forma física y con el apetito sexual intacto. Caminaba marcialmente y miraba de forma directa con sus penetrantes ojos azules. Estaba acostumbrado a ser obedecido y a conseguir lo que quería.

A diferencia de Cristina, que en seguida hizo comprender al viejo revolucionario que no estaba interesada en una aventura con él, Frida se embarcó sin complejos en una corta pero intensa relación amorosa.

«El viejo», como ella candorosamente le llamaba, la sedujo con su insospechada sensibilidad a lo largo de horas y horas de conversaciones y de las románticas notas que él deslizaba en los libros que él le prestaba, a veces incluso ante las ignorantes miradas de Diego y Natalia. Frida le devolvía misivas cuajadas de ternura, en las que le confesaba abiertamente su admiración. ¿Cómo podía él resistirse a un ser tan afín a él y carismático, que además se hallaba, en aquella época, en la plenitud de su belleza?

Cuando ceden al deseo físico (los amantes se reúnen siempre en casa de Cristina) el círculo más cercano a Trotski le advierte del peligro de que tal aventura se descubra, con el descrédito internacional que ello supondría para él y para su causa.

Pero no parece que haya sido ésta la causa de la ruptura. Tampoco el inmerecido dolor que el ruso estaba infligiendo a su fiel esposa y compañera de fatigas, quien, a diferencia de Diego, sí llegó a enterarse del idilio, por mucho que en su presencia Frida utilizara con Trotski el inglés, lengua que Natalia ignoraba.

Según Ella Wolf, fue Frida quien puso fin a la relación a las pocas semanas de iniciada. ¿Por qué? Sencillamente porque no le amaba. La había fascinado con su inteligencia y halagado con el interés mostrado por ella y todo el tiempo que le había consagrado, pero no experimentaba por él la profundidad del sentimiento que, pese a todo, la ligaba a Diego.

Ella Wolf dice haber recibido y destruido por orden de Frida una carta de nueve folios en la que el viejo revolucionario, con un ardor de adolescente, le explica cuánto han supuesto para él los momentos vividos juntos durante esas semanas y le suplica que no le deje. Frida encontró muy linda la carta de Trotski, razón por la que quiso compartirla en secreto con su amiga americana, pero estaba cansada de él. Y, quién sabe, tal vez tuvo miedo de lo que se podía organizar si Diego se enteraba.

En cualquier caso, continuaron siendo amigos y, muchos meses después del final del romance, el 7 de noviembre de 1937, Frida regaló a su antiguo amante, para su cumpleaños, uno de sus más bellos y luminosos autorretratos. Entre dos gruesas cortinas, Frida se representa de pie, vestida como una elegante criolla, sosteniendo un ramillete de flores en las manos y un letrero con la dedicatoria: «Para León Trotski, con todo cariño dedico esta pintura el 7 de noviembre de 1937. Frida Kahlo, San Ángel, México.»

Como la casa de Frida no ofrece, a pesar de las reformas, las suficientes garantías de seguridad en caso de un ataque directo, el séquito de Trotski le aconseja mudarse a una vivienda más fácilmente defendible. Así se trasladan, tras unas semanas de intenso trabajo, a una casa de los alrededores, en la calle Viena, del mismo Coyoacán.

La casa elegida consta de dos construcciones de un solo piso, comunicadas entre sí y protegidas por un alto muro y un amplio portal por el que entrar y salir sin bajarse del coche. Con algunas obras la casa se convierte en un fortín, vigilado noche y día por los guardias del líder revolucionario. Esto no impide, sin embargo, que en la noche del 23 de mayo de 1940 se desencadene un fuerte tiroteo en el que sólo resulta herido el nieto de Trotski, hijo de su hija mayor, Zina.

El ataque ha estado dirigido por Siqueiros, otro de los grandes muralistas, ahora decididamente entregado a la causa estalinista, quien, por un momento, ha logrado introducir su ametralladora en la ventana donde dormían León y Natalia, los cuales se salvan de milagro, escondiéndose tras la cama.

«La suerte me ha concedido una tregua», escribe Trotski al día siguiente. «Será de corta duración». Y como si de una profecía se tratara, sólo tres meses más tarde, en agosto de 1940, un sicario estalinista de origen español, Ramón Mercader del Río, le asesina destrozándole el cráneo con un piolet.

CAPÍTULO VIII

— SAN ÁNGEL, MECA DE LA MODERNIDAD —

DURANTE mucho tiempo se ha considerado a Frida como un ser triste, no sólo porque en sus autorretratos tendía a reflejar su sufrimiento físico y psíquico, sino también porque es raro verla reír o al menos sonreír abiertamente en las fotografías que de ella se han tomado. Ni siquiera con un amante, como Muray, será capaz de relajarse hasta ese punto.

La razón, según su sobrina-nieta, es bastante prosaica: Frida poseía una mala dentadura de la que se avergonzaba. Pero realmente era una mujer con un gran sentido del humor, alegre y chispeante, a la que le encantaba reírse a carcajadas y que siempre estaba dispuesta a recibir invitados en su casa, y a charlar, y cantar y beber con ellos durante horas. También adoraba el baile pero muchas veces, debido a sus problemas de espalda y en la pierna derecha, tenía que conformarse con ver danzar a los demás.

Por esta época, Frida lleva una vida social muy intensa. La casa de San Ángel se ha convertido en un punto de referencia para la intelectualidad internacional, una especie de «meca» para la bohemia de la época. Por ella pasan escritores, actores, artistas plásticos, refugiados políticos, músicos, mecenas...

Frida preside radiante con sus coloridos trajes de tehuana las animadas cenas en las que podían darse cita, desde la consagrada actriz Dolores del Río, hasta el escritor norteamericano John Dos Passos, o el chileno Pablo Neruda, pasando por el matrimonio de fotógrafos Manuel y Lola Álvarez Bravo, o el mismísimo presidente Cárdenas.

Muchas de estas cenas concluían luego en locales nocturnos donde Frida y Cristina acompañaban a sus huéspedes, con los que bailaban y bebían hasta tarde, como recordaba el fiel secretario de Trotski, Jean Van Heijenoort.

En esta época de desenfreno, Frida bebe considerablemente. Ya en una de las primeras descripciones que Lupe Marín hizo de Frida reconoció que «bebía tequila como un mariachi». Y entonces apenas había dejado atrás la adolescencia.

A mediados de los años 30 Frida se ha enganchado al alcohol intentando, como se suele decir, «ahogar sus penas». Coñac, tequila, cerveza... El doctor Eloesser recomienda en alguna carta que reduzca su consumo de alcohol a lo que ella contesta, tratando de parecer obediente, que ya ha dejado los licores («cocktailitos», como ella los llama) y sólo toma una cerveza diaria.

También su amiga Ella Wolfe, asidua a sus cenas, creía que Frida era alcohólica. En estos años, Frida suele llevar oculta en el bolso o entre sus enaguas una licorera que se lleva rápidamente a la boca para echarse un trago cada vez que siente la necesidad. A veces es un frasquito que se diría de perfume. El gesto es tan discreto que pocos lo advierten.

Cuando está tomada, en cambio, no se le escapa a nadie, porque Frida, desinhibida por efecto del alcohol, se comporta como los «pelados» de la calle, con expresiones vulgares que aprende por los mercados, entre las que no faltan: «hijo de su chingada madre», «cabrón» y «pendejo».

Cabe decir en su defensa —si es que la necesita— que este comportamiento no era suyo en exclusiva, sino que se había convertido en una especie de moda entre las mujeres de la clase artística y literaria mexicana de su tiempo.

En cuanto al amor, al volver con Diego, Frida había aceptado que éste seguiría coqueteando con todas las mujeres que le excitaran. Ahora ella también se entregaba a sus idilios extramatrimoniales; eso sí, con mayor discreción, ya que Diego sólo creía en el amor libre en lo que a sí mismo respectaba. Nunca había sido particularmente machista en un país que lleva a gala esta actitud, pero sí era celoso. Aunque no le molestaban los escarceos homosexuales de Frida, no toleraba que la poseyera otro hombre.

Como había hecho con Trotski, y antes con Isamu Noguchi, Frida tenía que esconderse para citarse con sus amantes: o bien se veían en casa de su hermana Cristina o, si lo hacían en San Ángel, tomaba la precaución de cerrar con llave la puerta del puente que, desde la casa rosa de Diego, llevaba a la suya, la azul.

Pero entre 1937 y 1938 Frida, a pesar de llevar esa intensa vida social, comienza a pintar con asiduidad. Ha empezado a tomarse en serio como pintora. Logra disciplinarse y mejorar su técnica considerablemente. En estos dos años produce más obras que en todos los que llevaba casada con Rivera.

Además del retrato que regala a Trotski, en 1937 realiza «Mi nana y yo», «Recuerdo» o «El Corazón», «Recuerdo de la herida abierta», «Fulang-Chang y yo», un «Retrato de

Diego Rivera», «El difuntito Dimas» y el bodegón «Pertenezco a mi dueño». También pinta a Alberto Misrachi, propietario de una importante librería y luego agente y contable de Frida, además de gran amigo suyo.

A principios de 1938 Diego la incita a participar en una exposición colectiva organizada por la pequeña Galería de Arte de la Universidad de México. Frida, modesta, está convencida de que su obra, tan cargada de motivos personales, sólo puede interesarle a ella, como le escribe a su amiga Lucienne el 14 de febrero.

Sus palabras no pueden ser más elocuentes: *Desde que regresé de Nueva York he pintado como doce cuadros, todos pequeños y sin importancia. Mandé cuatro a la galería, lugar pequeño e infame, pero el único que acepta cualquier cosa. Los envié sin entusiasmo. Cuatro o cinco personas me dijeron que eran fenomenales, y los demás piensan que son demasiado locos.*

Por fortuna para la carrera artística de Frida, entre las cuatro o cinco personas que se habían entusiasmado con su obra, se hallaba el galerista neoyorquino Julien Levi, en cuya elegante tienda de Manhattan exponía sobre todo a surrealistas.

Levy escribe una carta a Frida en la que se muestra interesado en organizar una pequeña exposición individual con su obra. Ésta, entusiasmada, le envía fotografías de otros lienzos. A vuelta de correo, el marchante le encarga treinta cuadros para presentar una muestra en octubre. Frida acepta encantada.

Un poco antes, en el verano del mismo 1938, Frida vende sus primeros cuadros. En realidad lo hace Diego, que parecía tener más fe en la obra de su esposa que ella misma. El comprador fue un famoso actor de Hollywood: Edward G. Robinson. Como tantos otros turistas norteamericanos adinerados y aficionados al arte, consideraba la visita a la casa de San Ángel como una escala obligada de su visita a México. Mientras Frida entretenía a su esposa en la terraza, Diego vendió cuatro cuadros de Frida por doscientos dólares cada uno.

Frida se entusiasmó con la noticia: *Quedé tan asombrada y maravillada que pensé: así podré ser libre. Podré viajar y hacer lo que quiera sin tener que pedirle dinero a Diego.*

Ambos acontecimientos, la venta y la perspectiva de una exposición individual en los Estados Unidos, reforzaron la autoestima de Frida y su independencia en un momento en que parece estar más cansada que nunca de su eterno segundo lugar a la sombra del gran genio.

El 1938 fue también el año en que llegaría a México André Breton, el poeta francés, principal fundador y teórico del surrealismo. Llegó en abril con su mujer, Jacqueline Lamba, para dar una serie de conferencias, patrocinado por el Ministerio francés de Asuntos Exteriores. Les interesaba reunirse con Trotski, con cuyas ideas simpatizaban. El escritor francés se había afiliado al Partido Comunista unos pocos años a final de la década de los 20, para criticarle después públicamente.

México no defraudó a Breton, quien lo había imaginado como un lugar surrealista por excelencia. Él, en cambio, sí defraudó a Frida, que había aguardado con expectación su llegada, alentada por Jean Van Heijenoort. A pesar de que Breton era muy apuesto, Frida le encontraba demasiado arrogante y pretencioso. No conectó con él en absoluto. Sus teorías le aburrían, no veía utilidad en ellas, aunque él, entusiasmado por su arte, no dudó en clasificarla como surrealista en el texto que escribió para el folleto de su primera exposición neoyorquina. Frida jamás se consideró parte del movimiento, como ella misma escribió: ... *pensaron que yo era surrealista, pero no lo fui. Nunca pinté mis sueños, sólo pinté mi propia realidad.*

Con quien sí conectó inmediatamente fue con la bella y divertida Jacqueline, pintora como ella, de quien se volvió amiga íntima. Como Trotski «prohibía» fumar a las mujeres, las dos solían escaparse para encender un cigarrillo lejos de la mirada del querido «viejo». Durante las excursiones, mientras Rivera, Breton y Trotski se enzarzaban en larguísimas disquisiciones sobre las relaciones entre política, arte y literatura, las dos jóvenes se alejaban para chismorrear y jugar como colegialas.

Ambas volverían a verse en París, pues Frida se alojaría en casa de los Breton las primeras semanas de su estancia en la capital francesa, y luego, pasado el tiempo, de nuevo en México.

A Jacqueline estuvo, sin duda, dedicada una de las cartas más poéticas e inspiradas que la pintora haya escrito nunca. No menciona su nombre, pero sí da varios comentarios que permiten identificarla. Por ejemplo, es alguien de París con quien estuvo en esa ciudad pero también en México. Alguien a quien le dolió, como a Frida, la muerte del «viejo». Frida tachará esa alusión a Trotski cuando regrese al comunismo ortodoxo y reniegue de haber simpatizado y aun sentido afecto por su ex amante.

Pero, sobre todo, se identifica a Jacqueline como destinataria porque Frida alude a su hija y hasta aporta en una anotación a lápiz al final de la carta el nombre de ésta: «Aube».

Tanto debió gustarle esta nostálgica carta a la propia Frida, que la copió en su diario.

Carta:

Desde que me escribiste, en aquel día tan claro y lejano, he querido explicarte que no puedo irme de los días, ni regresar a tiempo al otro tiempo.

No te he olvidado —las noches son largas y difíciles.

El agua. El barco y el muelle y la ida, que te fue haciendo tan chica desde mis ojos, encarcelados en aquella ventana redonda, que tú mirabas para guardarme en tu corazón. Todo eso está intacto. Después vinieron los días, nuevos de ti. Hoy, quisiera que mi sol te tocara. Te digo que tu niña es mi niña, los personajes títeres arreglados en su gran cuarto de vidrio, son de las dos. Es tuyo el huipil con listones solferinos. Mías las plazas de tu París, sobre todas ellas, la maravillosa Des Vosges, tan olvidada y tan firme.

Los caracoles y la muñeca novia es tuya también, es decir, eres tú. Su vestido es el mismo que no quiso quitarse el día de la boda con nadie, cuando la encontramos casi dormida en el piso sucio de una calle.

Mis faldas con olanes de encaje, y la blusa antigua que siempre llevaba xxxxxxxxx *hacen el retrato ausente, de una sola persona. Pero el color de tu piel, de tus ojos, y tu pelo cambia con el viento de México.* ~~La muerte del viejo nos dolió tánto, que ese día nos hablamos y estuvimos juntas.~~

Tú también sabes que todo lo que mis ojos ven y que toco con conmigo misma, desde todas las distancias, es Diego. La caricia de las telas, el color del color, los alambres, los nervios, los lápices, las hojas, el polvo, las células, la guerra y el sol, todo lo que se vive en los minutos de los no relojes y los no-calendarios y de las no-miradas vacías, es él. Tú lo sentiste, por eso dejaste que me trajera el barco desde El Havre, donde tú nunca me dijiste adiós. Te seguiré escribiendo con mis ojos siempre. Besa a xxxxxxx *la niña... Aub.*

CAPÍTULO IX

L A noche antes de su partida hacia Nueva York, a primeros de octubre, sus numerosos amigos le ofrecen una alegre fiesta de despedida para desearle buena suerte. Diego hará algo más. Cuando Frida inicie su cuarto viaje a Nueva York, se llevará una lista escrita a mano por su marido con los nombres de las personas que a su juicio debía invitar a la inauguración: empresarios, artistas, coleccionistas, directores de museos... También le ha escrito varias cartas de recomendación. Diego está interesado por que todo le vaya bien en los Estados Unidos.

En la distancia la sigue guiando y apoyando. Una de esas cartas de recomendación era para la entonces poderosa editora del *Vanity Fair*, Clare Boothe Luce (que más tarde se dedicaría a la política y la diplomacia), a quien Diego sabía maravillosamente bien relacionada con los intelectuales y artistas de vanguardia y cuya amistad podría resultar muy beneficiosa para Frida.

En una carta a su esposa recomienda que proponga a la señora Luce hacerle un retrato y que trate de leer sus obras teatrales para conocerla mejor e inspirarse para el mismo.

Otra muestra de su cuidado en la distancia es la carta que desde México escribe a otro influyente amigo suyo, Sam A. Lewisohn, atinado coleccionista, que había escrito un ensayo sobre Rivera.

Sobre ella escribe Diego: *Te la recomiendo, no como esposo, sino como admirador entusiasta de su obra ácida y tierna, dura como el acero y delicada y fina como el ala de una mariposa, adorable como una sonrisa hermosa y profunda y cruel como la amargura de la vida.*

El hecho de que Frida sea la esposa del célebre Diego Rivera ayuda a que la exposición tenga gancho, pero pronto todos pueden comprobar que la obra causa sensación por sí misma. Así, cobraba pleno sentido una de las frases incluidas en el comunicado de prensa que difundió la galería anunciando la muestra: *Frida Kahlo es esposa de Diego Rivera, pero en esta exposición demuestra ser una fascinante pintora de importancia.*

Frida se puso para la inauguración el más hermoso de sus trajes de tehuana, complementando perfectamente la mexicanidad de sus cuadros, tal como el público asistente esperaba. Entre los asistentes se hallaba Isamu Noguchi, emocionado con el éxito de la que fuera su amante. También la señora Luce parecía sorprendida y encantada, lo mismo que la pintora Georgia O'Keefe.

La exposición, que duraría hasta el 15 de noviembre, comprendía los siguientes veinticinco cuadros, algunos con el título cambiado para la ocasión:

Entre cortinas (autorretrato dedicado a Trotski)
Fulang-Chang y yo
La plaza es de ellos (Cuatro habitantes de México)
Yo y mi nana

Piden aeroplanos y les dan alas de petate
Pertenezco a mi dueño
Mi familia (Mis abuelos, mis padres y yo)
El corazón (Recuerdo)
Allá cuelga mi vestido
Lo que me dio el agua
Ixcuhintle y yo
Pitahayas
Tunas
Los frutos de la tierra
Recuerdo de la herida abierta
El deseo perdido (Henry Ford Hospital)
Mi nacimiento
Vestido para el paraíso (El difuntito Dimas)
Ella juega sola
Enamorada apasionadamente (¿Unos cuántos piquetitos?)
Burbank
Xóchitl (¿Retrato con jade?)
El marco
El ojo
Sobreviviente

La exposición de Frida apenas recibió críticas negativas en la prensa. Sus cuadros no gustaron particularmente al crítico del influyente «New York Times», que consideró su temática «más obstétrica que estética», y hubo muchos comentarios desfavorables respecto a la pretenciosa idea de dejar en francés (sin traducir), en el folleto, el texto escrito sobre ella por Breton. Una crítica no imputable a Frida y con la que ella, además, estuvo de acuerdo.

En cualquier caso, y a pesar de la crisis económica, se vendieron la mitad de los cuadros. Mary Shapiro (ya señora de

Sklar) adquirió «Tunas» y Frida le regaló «Fulang-Chang y yo». Entonces sucedió que A. Conger Woodyear, entonces presidente del Museo de Arte Moderno de Nueva York, se enamoró de «Fulang-Chang y yo» y Frida tuvo que prometer que le haría otro muy similar. Promesa que cumplió, pues en unos pocos días ejecutó «Autorretrato con mono» en su habitación del Barbizon Plaza. Conger Goodyear lo guardó hasta su muerte, en lugar de depositarlo en el Museo de Arte Moderno como había pretendido que haría. Tras su fallecimiento, pasó al Museo Albright Knox.

El resto de los cuadros adquiridos fueron a parar, entre otros, al fotógrafo Nicolás Murray («Lo que me dio el agua»), el crítico de arte Walter Pach, el empresario E. J. Kaufmann y el coleccionista Sam Levisohn.

Por primera vez, Frida brillaba lejos de Diego y estaba encantada con su suerte. Su talento era celebrado y su belleza, alabada; su capacidad de seducción, lejos de las pistolas del celoso marido, no conocía límites, así que no pocos intentaron seducirla.

Los atuendos de Frida y sus peinados causaban sensación allá donde iba. Levy recuerda cómo en una ocasión en que había acompañado a Frida al Central Hanover Bank, en la Quinta Avenida, un tropel de niños la habían rodeado, excitados, gritando «¿Dónde está el circo? ¿Dónde está el circo?»

Sumamente atraído tanto por su físico como por su personalidad (tan dulce y al mismo tiempo absolutamente segura de sí), el refinado y atractivo Levy intenta por todos los medios a su alcance seducir a la exótica Frida, convirtiéndose en su perfecto anfitrión.

Así, presenta a Frida a varios de sus conocidos, entre ellos el excéntrico pintor surrealista que la había precedido en la galería: Pavel Tchelitchew, cuyo trabajo encantará a la artista.

También quiere llevarla a museos y de fiesta por las noches, pero Frida se resiente de su pie derecho, lo único que podía estropearle su estancia en Nueva York. Éste vuelve a dolerle horriblemente en cuanto exagera un poco con el ejercicio. Por esta razón, no sale tanto como le hubiera complacido, aunque la sigan fascinando los aparadores de los comercios y la variedad de barrios (italiano, judío, negro, chino...) de Nueva York. Hasta que al fin le curan la úlcera trófica que había padecido en el pie durante años. La proeza se debió al doctor David Glusker, esposo de Anita Brenner.

Respecto a Diego, y a pesar de todas las molestias que él se había tomado para ayudar al éxito de Frida en la distancia, ésta alterna la nostalgia con la indiferencia. A aquellos por los que siente algún interés romántico, como su galerista, Julien Levy, o su ex amante, Isamu Noguchi, les asegura que, harta de su marido, se ha separado de él, decidida a vivir su propia vida.

Por lo que Levy ha contado en entrevista privada a Hayden Herrera, Frida pudo llegar a referirse a Diego en términos tan insultantes como «ese viejo cerdo gordo haría lo que fuera por mí» o «me resulta demasiado repelente».

Sin embargo, en otras ocasiones, reflejo de su propia confusión, Frida parecía añorarle vivamente.

El flujo de sus cartas es irregular. A veces tarda tanto en enviarle noticias que él se inquieta, como en el empiece de la carta que Diego le envía el 3 de diciembre instándola a ir a París: *Estuve tantos días sin recibir noticias tuyas que ya me estaba preocupando.*

Aunque sea sin él, Diego no quiere que Frida se pierda ninguna experiencia, mucho menos la Ciudad de la Luz, que sin duda le traía bellísimos recuerdos de sus años de formación.

Con la sabiduría que da la edad y la generosidad que el amor le inspira, Diego la exhorta a aprovechar sin remilgos las oportunidades de la vida cuando se presentan:

Toma de la vida todo lo que te dé, sea lo que sea, siempre que te interese y te pueda dar cierto placer. Cuando se envejece, se sabe qué significa el haber perdido lo que se ofreció cuando uno no tenía suficientes conocimientos para aprovecharlo. Si de verdad quieres hacerme feliz, debes saber que nada puede darme más gusto que la seguridad de que tú lo eres. Y tú, mi chiquita, mereces todo... No los culpo (a quienes la rodean en Nueva York) porque les guste Frida, porque a mí también me gusta, más que cualquier otra cosa...

Tu principal rana-sapo,
Diego

No podía resultar fácil para Frida permanecer indiferente ante tan cariñosa solicitud. Sin embargo, Frida no tenía prisa por regresar a San Ángel. Al término de la exposición se queda en Nueva York, encantada con la libertad que la lejanía física de Diego le otorga, embarcándose en alguna que otra aventura (por ejemplo, con Levy) y en una intensa historia de amor con el fotógrafo Nickolas Muray.

Como ella, Muray era de sangre húngara (los abuelos paternos de Frida habían sido húngaros emigrados a Alemania, donde después nacería Guillermo). Se sabe que ambos se habían conocido ya en México, aunque no es probable que iniciaran su idilio entonces. Muray ayudó a Frida con todos los aspectos creativos y técnicos de la exposición; desde cómo proteger los cuadros para que no se dañaran con el viaje, hasta el diseño del catálogo y la reproducción fotográfica de los lienzos.

La relación entre ellos parece que fue tan intensa como inconstante. El mismo día de la inauguración, al parecer, se enfadaron. Pero sin duda no faltó entre ambos una comprensión genuina y un sentimiento verdadero, apuntalado por un ardiente deseo físico.

Las fotografías que Muray tomó de Frida en este periodo son de las más hermosas que se conservan de la artista. Muestran a una mujer enamorada, consciente de su misterio y de su belleza, acariciada por el objetivo del ser que ama. Frida se muestra seria (no ríe ni sonríe nunca ante el objetivo) pero relajada.

Nacido el 15 de febrero de 1892 en Szeged (Hungría), Muray había estudiado fotografía primero en Budapest y luego en Berlín. En 1913, y ante la amenaza de guerra en la vieja Europa, se embarca hacia Nueva York. Tiene veintiún años y el poco dinero que ha podido ahorrar de su salario en la editorial Ullstein.

Dotado, no obstante, con un gran talento para la fotografía, no tarda en incorporarse a la plantilla de Condé Nast como grabador. Algunos años después abre su propio estudio en su casa de Greenwich Village. En tan sólo quince años se convierte en uno de los fotógrafos de celebridades más reputado de los Estados Unidos.

Las revistas más elegantes, como *Vanity Fair* y *Haper's Bazaar,* se disputaban sus retratos. En paralelo, desarrollaba una intensa carrera como fotógrafo comercial y de moda. Sus imágenes aparecían en *Vogue*, el *Ladie's Home Journal* y hasta *The New York Times*.

Por otra parte, en su estudio de Manhattan (igual que sucedía con la casa de Frida y Diego en San Ángel) se reunían cada miércoles la flor y nata de la bohemia, desde las bailarinas Ruth St Denis y Martha Graham, hasta los escritores Eugene O'Neill, Jean Cocteau, T. S. Elliot y Sinclair Lewis.

Atlético y bien parecido, Muray era un gran aficionado al deporte, sobre todo a la esgrima, de la que se proclamó campeón nacional en 1927, representando a su país de adopción en los Juegos Olímpicos de 1928 y 1932.

Gran admirador del arte, que compraba siempre que algún amigo pintor o escultor se hallaba en apuros económicos —Frida incluida—, amaba así mismo la danza, como demuestran sus múltiples fotografías sobre esta disciplina y las críticas que escribía para revistas especializadas.

Después de su romance con Frida, se casó cuatro veces y tuvo cuatro hijos, antes de morir en 1965. De su gran pasión por la cultura mexicana, dan testimonio las amistades que mantuvo en vida, además de con Frida y Diego, con el pintor e ilustrador Miguel Covarrubias. Ambos compartieron piso cuando Covarrubias estudiaba en Nueva York, becado por el Gobierno mexicano en los años 20. Dos décadas más tarde, también Rufino Tamayo y su mujer Olga compartirían su amistad.

En la colección de ciento dos obras de arte que Muray dejó al morir, aunque la mayoría de las piezas (unas noventa) están firmadas por Covarrubias, se encontraban creaciones de los mencionados Diego Rivera y Rufino Tamayo, pero también de Roberto Montenegro, Juan Soriano y Guillermo Meza, entre otros. Y, por supuesto, dos lienzos y un dibujo de Frida Kahlo: *Diego y yo*, *Autorretrato con collar de espinas y colibrí* y *Naturaleza muerta con loro y fruta*.

Frida Kahlo: *Mis abuelos, mis padres y yo* (árbol familiar), 1936. Óleo sobre tela. Colección MOMA, Nueva York.

Frida Kahlo con Diego Rivera el día de su boda, 1929. Col. CENIDIAP.

Nickolas Murai: *Frida pintando las dos Fridas, ca. 1938*. Fotografía.

Frida con Diego encabezando la Delegación del Sindicato de Pintores y Escultores el primero de mayo de 1929. Fotografía. Fototeca del INAH.

Guillermo Kahlo: *Frida a los 18 años, 1926*. Fotografía. Colección particular.

Manuel Álvarez Bravo. *Frida con esfera, 1938*. Fotografía.

Frida Kahlo: *Autorretrato con collar de espinas, 1940.* Óleo sobre masonite,
59 × 40 cm. Colección Hoover Gallery, San Francisco.

Guillermo Kahlo: *Frida Kahlo vestida como varón con su madre y hermana, ca. 1926.* Fotografía, colección Archivo del CENIDIAP.

CAPÍTULO X

— En la Ciudad de la Luz —

En enero de 1939, Frida se embarca rumbo a París para tomar parte en una exposición dedicada a México que André Breton planea organizar. Para aliviar la separación de su amante, ésta le envía apasionadas cartas de amor que firma como «Xóchitl». Contemporáneamente, Frida, que reconoce llorar cuando recibe las misivas y telegramas de su *amado Nick*, continúa escribiendo a Diego, por cuyo estado de salud está preocupada.

Frida no se cansa de decirle a Muray que le adora y le extraña, pero su corazón, ése que tantas veces representa en sus cuadros, está disociado y así lo confiesa, honestamente: *Te adoro, mi amor, créeme; jamás he querido a nadie de esta manera, nunca, sólo Diego está tan cerca de mi corazón como tú...*

Muray fue también el paño de lágrimas de Frida cuando la desilusión pareció ser lo único que la esperaba en París. En primer lugar, la convivencia con los Breton en su apartamento de la calle Fontaine fue un desastre a pesar de la sincera amistad que la unía con Jacqueline. Frida está incómoda, debe compartir una habitación minúscula con la hija pequeña del matrimonio, Aube. A finales del mes de enero se muda al hotel Regina, en la plaza de las Pirámides, donde continúa agotando su paciencia.

La tan cacareada exposición que Breton estaba organizando se hallaba parada. El poeta ni siquiera se había dignado recoger los cuadros de Frida en la Aduana y aseguró que no había recibido las fotografías que Muray le enviara para iniciar los preparativos de la muestra.

El 16 de febrero, Frida escribe a Muray desde el hospital, donde ha sido ingresada por una dolorosa inflamación de la vejiga y los riñones: *Por todo eso fui obligada a esperar durante días como una idiota, hasta que conocí a Marcel Duchamp, maravilloso pintor y el único que tiene los pies en la tierra en este montón de hijos de perra lunáticos y trastornados que son los surrealistas. De inmediato sacó mis cuadros y trató de encontrar una galería. Por fin, una llamada «Pierre Cole» aceptó la maldita exposición.*

Como Frida continúa relatando a Muray en esa misma carta, Breton se empeña en incluir en la muestra treinta y dos fotografías de Manuel Álvarez Bravo, así como catorce retratos mexicanos del siglo XIX y varios exvotos y otros objetos populares adquiridos en los mercados populares durante su estancia en México. La restauración de los óleos decimonónicos (que la misma Frida debe financiar con doscientos dólares, porque Breton no tiene dinero) retrasa todo el proceso aproximadamente un mes más.

Frida se desespera hasta tal punto y echa tanto de menos a Muray que, como cuenta a su amante, hubiera querido embarcarse rumbo a América el mismo día 8 de marzo. No se va porque no tiene sentido abandonar la ciudad dos días antes de que se inaugurara, por fin, la exposición. Diego la convence, además, para que permanezca en París hasta el fi-

nal de la misma y se asegure de que «esos tipos» le devuel-
van los cuadros.

Además, tras salir del hospital, los Duchamp le ofrecen
su hospitalidad, que sin duda contribuye a que Frida se sienta menos aislada en un país cuya lengua desconoce. Finalmente,
el 10 de marzo, se inaugura la exposición en la galería Pierre
Colle con la obra de Frida y Álvarez Bravo, varias esculturas
precolombinas, cuadros de los siglos XVIII y XIX, y los objetos
adquiridos por Breton en México: juguetes, exvotos, can-
delabros, una calavera de azúcar...

Comercialmente fue un rotundo fracaso, igual que el resto de las exposiciones organizadas en esos inestables meses
previos a la Segunda Guerra Mundial. Pero Frida recibió
buenas críticas de algunos medios especializados y el Museo
del Louvre adquirió *El marco (1938)*, un delicioso autorretrato de Frida con el pelo recogido con una cinta verde y
adornado por tres bellas flores amarillas.

El nombre del cuadro procede del colorido marco de flores y pájaros que rodea el retrato de la pintora sobre un favorecedor fondo azul. Este retrato, que actualmente se exhibe en el Centro Georges Pompidou (Museo Nacional de
Arte Moderno), convirtió a Frida, en una época en que las
mujeres pintoras aún no eran tomadas en serio, en el primer
pintor mexicano del siglo XX cuya obra entraba a formar parte de la primera pinacoteca francesa.

Lejos de dejarse impresionar por París, y a pesar de su
notable belleza, Frida la considera una ciudad en decadencia donde los defensores de los distintos manifiestos artísticos, en lugar de profundizar en sus búsquedas artísticas, ri-
valizaban en los cafés por hacer prevalecer sus teorías y
acaparar la atención de las ricas mecenas extranjeras.

Con la cruda mordacidad que la caracteriza, los describe así para Muray: *No te imaginas lo perra que es esta gente.*

Me da asco. Es tan intelectual y corrompida que ya no la so-
porto (...). Hablan sin cesar de la «cultura», el «arte», la «re-
volución», etcétera. Se creen los dioses del mundo, sueñan con
las tonterías más fantásticas y envenenan el aire con teorías y
más teorías que nunca se vuelven realidad. A la mañana si-
guiente no tienen qué comer en sus casas, porque ninguno de
ellos trabaja. Viven como parásitos, a costa del montón de pe-
rras ricas que admiran la «genialidad» de los «artistas»: mier-
da y sólo mierda, eso es lo que son. Nunca he visto a Diego ni
a ti perdiendo el tiempo con chismes estúpidos y discusiones «in-
telectuales»: por eso ustedes sí son hombres de verdad y no unos
cochinos «artistas». ¡Caramba! valió la pena venir sólo para ver
por qué Europa se está pudriendo y cómo toda esta gente, que
no sirve para nada, provoca el surgimiento de los Hitler y los
Mussolini. Creo que voy a odiar este lugar y a sus habitantes el
resto de mi vida.

Además de a Duchamp, tendrá la ocasión de conocer a
otros destacados pintores vanguardistas, como el ruso Vasili
Kandinsky —quien lloró de emoción al ver sus cuadros—,
Yves Tanguy, Joan Miró y Max Ernst. Ninguno esconde su
admiración por la obra de Frida. Tampoco el genial Picasso,
genio entre los genios, que se muestra hechizado por ella,
regalándole en señal de amistad unos pendientes de carey y
oro. Sobre Frida, escribiría con admiración Picasso a Rivera:
Ni tú ni Derain ni yo somos capaces de pintar una cara como
las de Frida Kahlo.

Frida frecuenta cafés y clubes nocturnos donde disfruta
con el alcohol y el jazz del pianista negro Garland Wilson,
mientras ve bailar a los otros. Además de al «cadáver exqui-
sito», Frida juega a otros entretenimientos surrealistas, como
el «Juego de la Verdad», consistente en decir la verdad o pagar una prenda. En una ocasión se niega a revelar su edad y
es castigada a «hacerle el amor» a un sillón.

Sus joyas y trajes de tehuana seducen a otra gran surrealista, la diseñadora Elsa Schiaparelli, que dominaba el mundillo de la alta costura en los años 30, junto a su gran rival, la genial Coco Chanel. Schiaparelli diseñó en homenaje a Frida el traje «Madame Rivera», que causó sensación. La mismísima revista *Vogue* dedicó una portada a una de sus ensortijadas manos.

Tampoco en la Ciudad de la Luz renuncia a su pasión por los mercadillos donde adquiere, como cuenta a Muray en otra de sus cartas, «dos muñecas antiguas muy bonitas» y otras muchas «baratijas».

Fuera de París, Frida visitó, al menos, algunos castillos del valle del Loira y la ciudad de Chartres, con su magnífica catedral gótica.

En cuanto a la política, conmocionada con la pérdida de la guerra civil española por parte de la República, ayudó a Diego a organizar la emigración a México de un puñado de centenares de refugiados políticos, exiliados en Francia, cuyos sufrimientos pudo conocer de primera mano.

También representó a su país en varias reuniones trotskistas y hasta parece que mantuvo un corta aventura con uno de los militantes locales, cubierta por la compañera norteamericana de Marcel Duchamp, Mary Reynolds, quien les alojó una semana en su casa de Montparnasse.

También en París trató de establecer contacto con Frida el que luego sería asesino de Trotski, Ramón Mecader del Río, agente de la GPU que a la sazón se hacía llamar Jacques Mornard. Siguiendo órdenes de Moscú, debería ser introducido en el círculo íntimo de Trotski para acabar con su vida. No lo lograría a través de Frida, sino haciéndose novio de la norteamericana Sylvia Ageloff, una de las personas de confianza al servicio del líder comunista.

A Frida no le había gustado aquel tipo que la perseguía durante la inauguración de «Mexique» para entregarle un gran ramo de flores. Pero aunque le hubiera gustado, poco habría podido hacer para presentarle a su víctima. Su relación con «el viejo» se deterioraba a ojos vistas por la ruptura entre éste y Diego Rivera. Todavía el 12 de enero, poco después de que Diego abandonara la IV Internacional, Trotski había buscado con una carta la mediación de Frida para que Diego reconsiderara su postura, ya que la renuncia de Rivera era considerada por el líder comunista como muy perjudicial para su causa.

La amistad política y personal de ambos había comenzado a minarse meses atrás, coincidiendo con la partida de Frida hacia Nueva York para su primera exposición individual. Los temperamentos de ambos hombres eran bastante incompatibles. Diego tendía demasiado a la fantasía, exasperando a Trotski, cuya petulancia desesperaba, a su vez, al mexicano.

En realidad el trotskismo de Rivera era demasiado particular; le gustaba bastante ir por libre, involucrarse con los sindicatos e incluso apoyar la carrera electoral del «burgués» —en opinión de Trotski— Francisco Múgica. Rivera era incapaz de obedecer ciegamente o someterse a las directrices de ningún líder. Era en el fondo, como alguna vez había confesado, bastante anarquista. Como administrativo del partido, igual que le ocurriera antes en el PCM, Rivera se mostró como un auténtico desastre. Por todo esto, si bien acusaba a Trotski de «estalinista» a sus espaldas, cuando éste limitó su poder dentro del partido trotskista de México, Rivera se enojó mucho presentando en enero de 1939 su renuncia a la IV Internacional.

Frida estuvo al lado de su marido en esta disputa, dándole en todo momento la razón. Tres meses más tarde, en parte por razones de seguridad y en parte por el tema del alquiler (una vez rota la amistad con Diego, Trotski quiere pagar una renta, negándose el pintor a aceptarla), Trotski se mudará de la casa familiar de Frida a otra más segura en la avenida Viena, dejando tras de sí dos de los regalos más preciosos que ella le había hecho: su autorretrato dedicado y una pluma en cuyo cañón ella había hecho grabar la firma del líder comunista.

El 25 de marzo se embarca por fin en el puerto de Le Havre con rumbo a Nueva York. Tan poco soporta la «corrompida» Europa que hasta cancela una exposición programada para ella en la galería londinense de Peggy Guggenheim para esa primavera. Y esto, para gran desilusión de la famosa mecenas, como consta en una carta fechada el 3 de mayo de 1939 y conservada en el Museo Frida Kahlo.

CAPÍTULO XI

— ACEPTADO EL DESAMOR —

F RIDA no se queda mucho tiempo en Nueva York esta vez. No tanto porque extrañe su ambiente en México, sino porque su querido Nick ha conocido a otra mujer en su ausencia y planea casarse con ella en junio de ese mismo año.

Frida regresa a su país muy triste y dolida. El sentimiento que el fotógrafo húngaro le inspiraba era lo suficientemente profundo para que el dolor por la ruptura la sumiera en la depresión. Sin embargo, Muray la apreciaba sinceramente.

A mediados de mayo, Muray le escribe admitiendo que debió haberlo hecho mucho antes:

Fue bastante desesperante para ti cuando te dejé en Nueva York, pero no lo ha sido menos para mí. Ella P. (Ella Paresce, la pianista en cuya casa residió Frida a su regreso de Europa) me ha contado todo respecto a tu marcha.

No me asombré, ni me enojé. Sé cuán triste estabas y la falta que te hacía tu ambiente, tus amigos, Diego, tu propia casa y costumbres.

Era consciente de que Nueva York sólo te servía de sustitu-
to temporal y espero que, a tu regreso, hayas encontrado intac-
to tu hogar. En realidad, entre los tres sólo existía la relación de
ustedes dos. Desde el principio lo percibí; tus lágrimas me lo
probaron cuando escuchabas su voz.

(...)

Mi querida Frida: como tú he anhelado el verdadero cari-
ño. Cuando te fuiste, supe que todo había terminado. Tu ins-
tinto te guió muy sensatamente. Tomaste la única decisión ló-
gica posible porque yo no podía trasladar México a Nueva York
para ti y sé que eso hubiera sido imprescindible para tu felici-
dad... Extrañamente, el cariño que siento por ti no ha cam-
biado ni cambiará jamás.

(...)

Quiero saber de ti todo lo que desees contarme.
Afectuosamente, NICK.

Por desgracia, el amor de Muray se ha transformado en
un gran cariño. No quiere herirla, ni dejarle un mal sabor
de boca, pero está a un mes de casarse con otra.

Frida no le contesta con otra carta sino que le llama una
noche por teléfono. Está desesperada. Muray responde con
otra misiva en la que le ofrece su amistad sin reservas y la
insta a tranquilizarse, levantar el ánimo y trabajar duro:

En la punta de los dedos tienes un don que ni el amor, ni
Dios, ni el chisme, te pueden quitar. Cree en ti misma y en tu
poder. También quiero que entiendas que siempre seré tu ami-
go, sin importar lo que nos pase a ti o a mí.

(...)

Mi cariño por ti nunca acabará. ¡Es imposible! Sería como
si me deshiciera del brazo derecho, de la oreja o del cerebro. Eso
lo entiendes, ¿verdad? Frida, eres una gran persona, una gran

pintora: Sé que demostrarás que mereces estos calificativos. También sé que te he lastimado. Trataré de curar la herida que te causé mediante una amistad que espero llegue a ser tan importante para ti como lo es para mí.

Tu NICK

Por fin, el 13 de junio ella se decide a escribirle. Empieza agradeciéndole entusiásticamente la fotografía de ella que él le había mandado, comparando su bondad a la de un Piero della Francesca (uno de los pintores más admirados por Frida). Luego prosigue:

Al recibir tu carta hace unos días, no supe qué hacer. Debo decirte que no pude evitar las lágrimas. Sentí que algo se me había atorado en la garganta como si me hubiera tragado todo el mundo. Todavía no sé si estaba triste, celosa o enojada, pero en primer lugar experimenté una sensación de gran desesperanza.

He leído tu carta muchas veces, demasiadas, yo creo, y me estoy dando cuenta de cosas que al principio no percibí. Ahora comprendo todo; se ha vuelto completamente claro. Lo único que quiero decirte, de la manera más sincera, que mereces lo mejor, lo absolutamente mejor en la vida, porque eres una de las pocas personas honestas consigo mismas que hay en este cochino mundo. Esto es lo único que cuenta en realidad. No sé cómo tu felicidad me pudo ofender, aun por un minuto. (...) estoy segura de que me perdonarás por haberme portado de manera tan estúpida.

En el resto de la carta Frida pide a Muray que quite su retrato de encima de la chimenea para no ofender a su nueva esposa y que no repita ciertos gestos y paisajes con ella. También le pide que le devuelva algunos objetos que tienen mucho significado para ella, como un cojincito particular, que no desea que use otra persona, y sus cartas.

«El pedirte que me devuelvas mis cartas es ridículo de mi parte, pero lo hago por ti, y no por mí. Me imagino que ya no te interesan esos papeles.»

Imaginaba mal, porque Muray las guardó hasta el final de su vida entre sus papeles y, de hecho, hoy en día se conservan en el Museo de Arte Americano, junto con otros documentos.

Antes de despedirse, Frida le cuenta que al tiempo que escribía esa carta se ha enterado de que el matrimonio de Muray se ha consumado.

No tengo nada que comentar acerca de lo que sentí. Espero que seas feliz, muy feliz. Si hallas el tiempo, de cuando en cuando, por favor, mándame unas cuantas palabras nada más para decirme cómo estás. ¿Lo harás...?

Gracias una y otra vez por la magnífica foto. Gracias por tu última carta y por todos los tesoros que me diste.

Un abrazo,

FRIDA

Por favor, perdona que te haya hablado por teléfono aquella noche. No volveré a hacerlo.

En paralelo a este doloroso intercambio de cartas con su último amor, Frida tiene que despedirse igualmente del que había creído el hombre de su vida. Diego la divorcia. El corazón de Frida, que no hacía mucho se hallaba dividido entre dos hombres, ahora los está perdiendo a ambos a la vez.

Con la ayuda del «cachucha» Manuel González Ramírez, Frida se divorcia de Rivera en el Ayuntamiento de Coyoacán ese mismo otoño. Como ambos cónyuges están de acuerdo, el proceso es rápido.

En cuanto a las causas, nunca estuvieron muy claras. Pudieron ser las infidelidades tanto de él como de ella. A Diego pudo molestarle más de la cuenta el enamoramiento de Frida con Muray, o enterarse a posteriori de su romance con Trotski (como pensaba su secretario, Jean Van Heijenoort).

O tal vez el idilio del pintor con la hermosa Paulette Goddard, esposa de Chaplin, fue la gota que colmó el vaso de Frida. La famosa estrella de cine se había instalado recientemente enfrente de la residencia de los Rivera en San Ángel.

En la época se afirmó igualmente que Diego deseaba casarse con la pintora Irene Bohus (también curiosamente de origen húngaro), pero si tales fueron alguna vez sus intenciones respecto a su atractiva asistente, lo cierto es que nunca llegaron a materializarse y con el tiempo, como solía ocurrir, Frida e Irene se hicieron muy amigas.

Según Hayden Herrera, en una carta dirigida a una amiga que desea permanecer en el anonimato, Frida culpó a Lupe Marín de arruinar su matrimonio. Diego nunca había roto totalmente el vínculo con la bella y temperamental madre de sus hijas.

Otros han aludido a un cierto temor por parte de Diego a que posibles represalias por su actividad política afectaran a Frida. También se habló de impotencia en él y de la inapetencia de ella para mantener relaciones sexuales con su marido...

Alguna prensa llegó a especular con la posibilidad de que hubiera diferencias artísticas entre los cónyuges y que una separación permitiera encontrar a Frida su propia vía de expresión, ¡cuando él no había querido nunca enseñarla, precisamente para no influir en su estilo! No pudieron ser celos profesionales porque, a pesar del éxito de Frida en el extranjero, del que Rivera siempre se mostró orgullosísimo, ni a Frida ni a ninguno de sus contemporáneos, incluido Diego, se les pasó entonces por la imaginación que ella pudiera nunca hacerle sombra a su consagrado marido.

Preguntada por un periodista local, Frida sólo comentó que tras su regreso de París y Nueva York había habido problemas y que ella y Diego ya no se llevaban bien. Agregó que no pensaba casarse de nuevo y que la causa del divorcio eran razones íntimas, causas difíciles de explicar.

Entrevistado en San Ángel por el mismo reportero, Diego afirmó que estimaba a Frida más que nunca y que en su divorcio no estaban implicadas cuestiones sentimentales, ni artísticas, ni económicas. Al parecer sólo su poco creíble deseo de que ella, que era joven y bella y había triunfado en los círculos artísticos más exigentes, continuara con su vida lejos de él que era viejo y no estaba en condiciones de ofrecerle mucho.

Cada persona del entorno de los Rivera parecía poseer una teoría respecto a su separación y divorcio. Lo que años más tarde Diego narró en su autobiografía *(«My art, my life»)* no le deja muy bien parado: egoísta y rijoso, Diego alterna el sentimiento de culpa con su complacido orgullo de macho:

Nunca fui un esposo fiel, ni con Frida. Al igual que Angelina y Lupe, consentía mis caprichos y tenía aventuras. Por aquel entonces empecé a examinarme a mí mismo como cónyuge, conmovido por el extremo al que había llegado la condición de

Frida (su deteriorada salud). Hallé muy pocos puntos a mi favor. Sin embargo, sabía que no podía cambiar.

(...) La quería demasiado para desear que sufriera y decidí separarme de ella, para ahorrarle tormentos futuros.

Al principio sólo insinué la posibilidad de un divorcio, pero cuando las indirectas no hallaron respuesta lo sugerí de forma expresa. Frida, que ya se había recuperado, replicó con calma que prefería soportar lo que fuera a perderme completamente.

La situación empeoraba cada vez más. Una noche sentí el impulso de telefonearla para pedirle su aprobación al divorcio. Desesperado, inventé un pretexto estúpido y vulgar. Me horrorizaba una larga y desgarradora discusión, tanto que, sin reflexión, busqué el camino más rápido hacia mi meta.

Funcionó. Frida aseguró que ella también quería divorciarse inmediatamente. Mi «victoria» no tardó en pesar sobre mi corazón. Llevábamos trece años casados. Seguíamos amándonos. Simplemente quería libertad para andar con la mujer que me atrajera. Sin embargo, Frida no se oponía a mi infidelidad en sí misma. Lo que no comprendía era que yo escogiera mujeres inferiores a ella o indignas de mí. Personalmente se sentía humillada porque la dejara por una mujerzuela. Pero, si le permitía establecer ciertas restricciones, ¿no era eso limitar mi libertad? ¿O era yo simplemente la depravada víctima de mis propios instintos? Y pensar que el divorcio acabaría con el sufrimiento de Frida, ¿no constituyó, simplemente, una mentira consoladora? ¿No la haría sufrir a ella aún más?

Lo único cierto es que Frida pasó el otoño de 1939 y todo el invierno de 1940 sumida en una fuerte depresión, además de gravemente enferma. Primero, una infección por hongos en los dedos de la mano derecha, que la privaba a menudo de la posibilidad de sublimar su dolor a través del trabajo. Luego, nuevos y terribles dolores de espalda. Los médicos se contradecían sobre la bondad de operarla de la columna vertebral. Entre tanto, la sometieron al suplicio de un nuevo dispositivo —para estirar su columna— que la inmovilizaba completamente.

Su moral se hallaba tan baja que, a pesar de su creciente aislamiento, se negaba a recibir a los amigos, sobre todo si tenían trato con Diego, y lo único que deseaba era que el brandy la ayudara a olvidar sus problemas: Diego la había abandonado. Nunca había sentido tanta soledad.

Con el paso del tiempo, superados los primeros momentos de tirantez y alejamiento, la pareja continuó recibiendo invitados y apareciendo junta en público, unas veces solos y otras acompañados por familiares o por la amante de turno del pintor...

Allá donde fueran, causaban siempre una gran expectación y ella se mostraba alegre y seductora, llena de energía y despreocupación. Incluso tuvo alguna sonada aventura, por ejemplo, con un republicano español exiliado en México.

Pero su interés seguía fijo en Diego. A distancia (pues al inicio de la separación se había mudado a la casa azul de Coyoacán) ella siguió ocupándose del papeleo de su ex marido, así como de su bienestar físico y asuntos domésticos. Y todo esto de forma gratuita, sin aceptar más dinero de Diego.

CAPÍTULO XII

— Independencia, y no sólo económica —

A principios de 1940 Frida está más atareada que nunca con sus pinceles pues, además de utilizarlos para «sublimar su angustia», no desea volver a depender económicamente de ningún hombre, como le cuenta a Muray en una carta fechada el 13 de octubre de 1939. Tras pedirle disculpas por haber vendido un cuadro en principio destinado a él, continúa: *La semana pasada lo tuve que vender a alguien a través de Misrachi porque me hacía falta el dinero para una consulta con el abogado. Desde que volví de Nueva York no he aceptado un maldito centavo de Diego. Supongo que comprendes los motivos. Jamás tomaré dinero de ningún hombre hasta mi muerte.*

Para sacar algo de dinero pensó en alquilar la casa azul a turistas pero la vivienda necesitaba algunas reparaciones que no podía afrontar económicamente y además, cuando no estaba enferma para ocuparse del negocio (ninguna de sus hermanas hablaba inglés para llevarlo en su lugar), estaba demasiado centrada en pintar. A veces aceptaba pequeños préstamos de amigos, sobre todo de Mary Sklar y del mismo Muray, a cuenta de futuras ventas; dinero que casi siempre trató de devolver.

También trató sin éxito de conseguir una beca de la Fundación Gugennheim, a través de su participación en el concurso iberoamericano.

Aunque muchas personalidades de mundo del arte la avalaron con sus cartas de recomendación (Rivera, Duchamp, Breton, Conger Goodyear...), no lo logró debido entre otras razones a su excesiva humildad y sinceridad. Además de otras cosas, esto fue lo que dijo de sí: *Hasta la fecha he trabajado con el impulso espontáneo de mis sentimientos. Nunca he seguido una escuela ni la influencia de alguien. No espero recibir de mi trabajo más que la satisfacción que me da el hecho mismo de pintar y de decir lo que no podría expresar de ninguna otra forma.*

En cuanto a su trabajo, describe:

He sido capaz de hallar una forma personal de expresarme en la pintura, sin que me empujara prejuicio alguno. Durante doce años mi obra ha consistido en eliminar todo lo que no surgiera de las causas líricas internas que me incitaron a pintar.

Ya que mis temas siempre han sido sensaciones, estados de ánimo y profundas reacciones producidas en mí por la vida, con frecuencia les he dado objetividad y expresión por medio de retratos de mí misma. Ésa es la manera más sincera y real de expresar lo que siento, dentro y fuera de mí.

A pesar de que necesitaba el dinero, Frida que pintó en este periodo algunas de sus mejores obras, no hizo concesiones a la comercialidad.

Es difícil imaginarse quién podría interesarse en adquirir obras llenas de sangre y sufrimiento, salvo las personas que mejor la conocían y por tanto podían apreciar el desesperado valor testimonial de las pinturas de la Kahlo.

Hasta cuando ejecutaba un encargo, aprovechaba la oportunidad para comunicar su propia soledad, su desgarro, el sufrimiento que la vida le infligía. Así ocurrió, por ejemplo, con el retrato de Dorothy Hale, encargo que Clare Boothe Luce, gran amiga de la fallecida, le hiciera con ocasión de la exposición de Frida en Nueva York. Cuando la editora del Vanity Fair vio la obra, su primer impulso fue destruirla con unas tijeras, como relató en una entrevista privada a la biógrafa de la Kahlo, Hayden Herrera.

No hubiera mandado pintar un cuadro tan sangriento ni de mi peor enemigo, y menos de mi desdichada amiga.

Dorothy Hale había sido una corista de tanta belleza como poco talento, que por su matrimonio con Gardiner Hale, un retratista de mucho éxito, había logrado codearse con lo mejorcito de la sociedad norteamericana de los años 30. Pero cuando su marido murió prematuramente en un accidente automovilístico, la viuda se encontró con que el poco dinero que éste le había dejado no le permitía seguir llevando el tren de vida a que se había acostumbrado, ni siquiera con las ayudas económicas de algunos de sus mejores amigos, casi todos vinculados al Vanity Fair (Luce, los Covarrubias, Noguchi, Muray).

Su círculo íntimo había pensado como ella que, con su encanto y belleza, no tardaría en hacerse un hueco en el mundo del espectáculo, pero no fue así. Cuando años más tarde logró volver a enamorarse de Harry Hopkins, el consejero político más cercano y caro al presidente Franklin D. Roosevelt, con quien llegó a estar prometida según las columnas sociales, parece ser que el mismo presidente ordenó al prometido que rompiera con Hale y se casara con su amiga Lou Macy, cosa que Hopkins hizo. A sus eternos problemas para pagar la renta de su suite en el Hampshire House se sumaba ahora la vergüenza de saber que nadie ignoraba el rechazo de que había sido objeto.

Poco después invitó a sus amigos a una fiesta de despedida en su casa, pues anunció que había decidido hacer un viaje muy largo. Unas horas después de que se hubiera ido el último invitado, Dorothy, ataviada con el más favorecedor de sus vestidos, uno largo de terciopelo negro que le daba un aire inconfundible de mujer fatal, se suicidó arrojándose al vacío por una ventana de su apartamento, prendido del vestido el ramillete de rosas amarillas que le había regalado su admirador y amigo Noguchi.

Frida y Diego habían tenido oportunidad de conocerla merced a los amigos comunes, tanto en México como en Nueva York. Cuando Frida se enteró de la muerte de la desafortunada actriz, sintió el deseo de pintar su retrato y así lo programó con Clare Boothe Luce, quien pensó que sería una buena idea ofrecérselo como regalo a la madre de Dorothy. Luce pensaba, sin duda, en un retrato convencional, que captara lo frágil y hermosa que había sido su amiga en vida. Frida, en cambio, representó en tres planos simultáneos los últimos segundos de su existencia: el momento en que se arroja por la ventana, su caída (hermosa metáfora) todo a lo largo del inmenso rascacielos y, en primer plano, la mujer ya muerta, aunque mirando fijamente al espectador.

Hallándose la misma Frida en un período particularmente difícil de su existencia, acosada por dificultades económicas y abandonada por el hombre que amaba, sin duda se identificaba mejor que nunca con la desgraciada actriz y por eso su cuadro, aunque a primera vista parezca crudo

y macabro, por la sangre que rodea la cabeza de la suicida
—que hasta se desliza por la parte inferior del marco—, lo
cierto es que la obra rezuma compasión y hasta un cierto
lirismo. Mientras cae, como en una pesadilla, Dorothy parece un ángel, envuelta en nubes... La mujer que yace tendida en el suelo resulta muy femenina y digna; no llega a
la muerte desfigurada, sino con toda su belleza intacta, sin
que ningún gesto de miedo o angustia altere la perfección
de sus rasgos.

No lo entendió así la compradora de la obra que, si bien
no cedió a la tentación de destruir el cuadro, nunca se lo regaló a la madre de la muerta ni tampoco quiso quedárselo.
Se lo entregó a un amigo coleccionista para que lo guarda-
ra algunos años hasta que se hubiera olvidado la muerte de
Dorothy.

Cuando este amigo murió, veinte años después, sus herederos se lo hicieron llegar a Luce, quien lo donó al Museo
de Arte de Phoenix, haciendo prometer al conservador del
mismo que no se la mencionaría como donante. A principios de los 70, tratando de organizar una muestra de arte
moderno mexicano, el nuevo director del museo rastreó
el origen del cuadro junto a amigos de Kahlo, que le pusieron sobre la pista de quién lo había comisionado.
Seguramente Luce había hecho borrar su nombre de la fran-
ja inferior del mismo en la que Frida había escrito con letras
color sangre:

*«En la ciudad de Nueva York, el día 21 del mes de octubre
de 1938, a las seis de la mañana, se suicidó la señora DO-
ROTHY HALE, tirándose desde una ventana muy alta del edificio Hampshire House. En su recuerdo (aquí se han borrado
las palabras que seguramente mencionaban a Luce)... este re-
tablo, habiéndolo ejecutado FRIDA KAHLO.»*

En 1940 se diría que Frida se pinta frenéticamente. Su producción de autorretratos parece hecha en serie. Sin embargo, cada uno de ellos refleja sutilmente algún matiz que lo diferencia de los demás. Abunda en su paleta cada vez más el amarillo a veces verdoso, que ella asociaba (como reflejará en su diario) con enfermedad, locura y miedo. Ahora el lugar que antes ocuparan sus preciosas joyas precolombinas, lo llenan collares de espinas, como en el *Autorretrato dedicado al doctor Eloesser* (1940) o el *Autorretrato con collar de espinas (y colibrí)* que le compra Muray. Frida se ve a sí misma como una mártir y no le importa usar símbolos cristianos para manifestar el sufrimiento más directamente. Sin embargo, no desea causar lástima. Sobre la seriedad e inmutabilidad de su rostro se esconde su deseo de sobreponerse al dolor con la dignidad que la caracterizaba.

Quizá uno de los retratos más significativos de la época sea el *Autorretrato con pelo cortado* o *Autorretrato de pelona* (1940). Al igual que hiciera seis años antes cuando se separó de Diego debido a la aventura de éste con Cristina Kahlo, Frida cortó su bella melena en señal de duelo y de protesta. En el cuadro se representa a sí misma de cuerpo entero, sentada en una silla amarilla, con las piernas bien separadas y vestida con ropajes masculinos que le van demasiado grandes. A su alrededor, diseminados sobre la silla, el suelo y su propia pierna izquierda, los largos mechones sacrificados. En su mano derecha, reposando sobre el muslo, las tijeras con que ha cometido el atropello. Nada en el fondo gris del cuadro puede distraer la atención del espectador. Sobre la cabeza de la artista, riéndose de sí misma tal vez, un pentagrama y dos versos de una canción de la época:

«*Mira que si te quise fue por el pelo,*
ahora que estás pelona, ya no te quiero.»

Sobre esta obra existen múltiples interpretaciones. Algunas sostienen que es un acto de venganza, de rebeldía contra Diego que ha dejado de quererla, un intento de rechazar su feminidad, única razón por la que era amada (a Diego le gustaban tanto sus peinados y los trajes de tehuana y joyas de Frida...). Los únicos atributos femeninos que conserva son sus pendientes y zapatos, pero tanto los unos como los otros son demasiado pequeños y discretos para llamar la atención.

Algunas interpretaciones más feministas han querido ver en esta obra la afirmación de su nueva independencia y su deseo de mostrar que, como un hombre, está centrada en su carrera, de donde obtiene el sustento, rechazando el papel más secundario y pasivo, más de adorno, en suma, de una esposa tradicional.

Pero, sin duda, la pintura más interesante de esta época es la emblemática *Las dos Fridas* (1939), una de sus obras más conocidas y de las pocas en que usó un tamaño grande (173 x 173 cm). Frida se apuró para concluir a tiempo esta obra y presentarla al público en la Gran Muestra de Surrealismo Internacional, inaugurada el 17 de enero de 1940 en la primera galería privada de México, perteneciente a Inés Amor.

Las dos Fridas continúa siendo uno de los cuadros más populares del Museo de Arte Moderno de México. En esta obra vemos a Frida desdoblada en dos personalidades. Ambas están sentadas sobre un banco, tomándose de la mano. Ambas están unidas además por una arteria que comunica sendos corazones al descubierto. La Frida de la izquierda —para el espectador—, de tez algo más clara va lujosamente vestida a la europea, con una blusa de encaje y una amplia falda discretamente bordada con florecitas. Sobre el inmaculado blanco de su atuendo la vemos desangrarse a través de una arteria que sale de su abierto corazón (símbolo del dolor causado por el desamor y el abandono) y que apenas logra detener con una pinza quirúrgica. A su lado, la otra Frida, vestida a la mexicana con ropas más sencillas y coloridas, y desprovista de todo adorno, lleva en la mano libre un retrato en miniatura del amado Diego, a quien ha perdido. El fondo es un desapacible cielo gris que expresa con sus desgarros lo que los hieráticos rostros de Frida esconden.

No hay más objetos o seres familiares en el cuadro que el banco sobre el que están sentadas. Frida no tiene nada, y ni a nadie más que a sí misma. Ella es su único apoyo y consuelo, lo único que tiene para salir adelante. Esta idea vuelve a estar presente en las obras *Dos desnudos en el bosque* (1939) y *Árbol de la esperanza, mantente firme* (1946).

El otro lienzo presentado fue *La mesa herida* (1940), también de gran formato y hoy en paradero desconocido. En esta obra Frida se retrata, como en una función teatral, entre gruesos cortinones, sentada tras una mesa de madera de «patas» humanas, flanqueda por un judas y un esqueleto. En los extremos de la mesa, su ciervo «Granizo» y sus sobrinos Antonio e Imelda. Al fondo, una tempestad cubre de tinieblas el cielo. Inmóvil y severa, ataviada como una tehuana, Frida acusa una vez más a Diego de la ruptura de su matrimonio (la mesa, símbolo de la vida hogareña, está como indican el título de la obra y la visible sangre, herida).

La Muestra de Surrealismo Internacional había sido organizada por los poetas Andrés Breton y César Moro y el matrimonio de artistas Wolfgang Paalen y Alice Rahon. Aunque asistió a ella el todo México luciendo sus mejores galas y la mayoría de las críticas fueron favorables, el acontecimiento no tuvo la repercusión esperada por sus organizadores. México, tierra cuya idiosincrasia consideraban proclive al surrealismo, estaba demasiado apegada a la realista tradición del muralismo para dejarse influir por esta nueva vanguardia europea. Y al mismo tiempo, en México, mitos y elementos mágicos se hallan tan entrelazados con la vida de cada día, que apenas se precisa acudir a los sueños o al inconsciente para estimular la fantasía. El único movimiento al que tal vez podría considerarse deudor del surrealismo fue el realismo fantástico que en los años 40 rechazó la omnipresencia del muralismo.

Por su parte, como ya hemos dicho, Frida nunca se consideró a sí misma como una surrealista; ni tampoco Rivera, quien llegó a calificarla de «realista».

Así contó al historiador del arte Antonio Rodríguez: *Me encanta la sorpresa y lo inesperado. Me gusta ir más allá del realismo. (...) mi pintura refleja estas predilecciones, así como mi estado de ánimo, y sin duda es verdad que mi obra se relaciona de muchas formas con el surrealismo. No obstante, nunca tuve la intención de crear algo que pudiera considerarse dentro de esa clasificación.*

En su obra en efecto existen elementos que invitan a clasificarla a priori como surrealista: los personajes híbridos (en parte humanos, en parte vegetales o animales), su fijación con el dolor y la sangre, el erotismo subyacente en la mayoría de ellos, los oníricos fondos de algunos cuadros, ya claustrofóbicamente cuajados de plantas y animales, ya situados en extensos parajes abiertos, desconectados de toda actividad y conexión con la realidad...

Su obra también está llena de símbolos, pero no al estilo de los surrealistas ortodoxos, obsesionados con la filosofía freudiana. En su primitivismo, no exento de humor y de guiños a los espectadores más despabilados, Frida representa su propio mundo, a veces con asociaciones extrañas, siempre derrochando fantasía. Pero Frida no pinta sus pesadillas ni lo que le dicta el subconsciente, sino su propia biografía, la realidad que vive tal como ella la siente, de forma franca y, en ocasiones, hasta prosaica. Frida no es una charlatana vacua: los elementos de sus cuadros siempre son coherentes y tienen un porqué, al menos para ella.

Aunque hubo un tiempo en el que a Frida no le importó ser calificada como surrealista en artículos y catálogos, con los años llegó a abominar de tal movimiento, sobre todo cuando, hastiados del trotskismo, tanto ella como Diego solicitaron ser readmitidos en el Partido Comunista, más proclive al realismo.

Así, a principios de los años 50 en una carta al mencionado Antonio Rodríguez, Frida «abjura» del surrealismo sin reparos: *Algunos críticos han tratado de clasificarme como surrealista, pero no me considero tal... En realidad no sé si mis cuadros son surrealistas o no, pero sí sé que representan la expresión más franca de mí misma... Odio el surrealismo. Me parece una manifestación decadente del arte burgués. Una desviación del verdadero arte que la gente espera recibir del artista...*

También en un ensayo de 1943, «Frida Kahlo y el arte mexicano», publicado en el erudito *Semanario de Cultura Mexicana*, Diego Rivera apoya el concepto que de sí misma tenía su esposa: *Un monumental realismo ilumina la obra de Frida Kahlo. (...) Dicho realismo invade incluso las dimensiones más pequeñas.*

CAPÍTULO XIII

— Bajo sospecha —

EN abril de 1940 Siqueiros lidera un asalto a la casa de Trotski en el que éste y su esposa, como ya hemos contado, salvan la vida de milagro. Al atentado sigue un enorme revuelo intentando dar con sus responsables. Tras su sonada ruptura con el comunista ucraniano, se consideró a Rivera altamente sospechoso de estar envuelto en la conspiración para acabar con su vida. Hay quienes piensan que Diego pudo prestar a Siqueiros una camioneta para llevar a cabo el atentado.

Gracias a la ayuda de sus amantes, Rivera logró escapar de la policía. Paulette Goddard, que vivía frente a Diego, le previene telefónicamente de que la policía ha llegado a su casa y la está cercando, y su ayudante, Irene Bohus, que le acompaña en ese momento en su estudio, le oculta bajo unos lienzos en el suelo de su auto y lo conduce hasta un escondite seguro donde permaneció oculto, agasajado por ambas mujeres, hasta que sus apoyos en el Gobierno le facilitaron un nuevo pasaporte y los papeles necesarios para volar a los Estados Unidos.

Allí consigue un encargo para pintar un mural en la biblioteca del Colegio Júnior de San Francisco. En este nuevo mural Diego expresó sus nuevas ideas políticas: el panamericanismo, cuyas metas eran la democracia y el establecimiento de una «ciudadanía común» a los latinoamericanos, y el rechazo de los totalitarismos que asolaban Europa. El políticamente veleidoso Rivera denostaba a Stalin, debido a la alianza de éste con Hitler al inicio de la Segunda Guerra Mundial.

Entre tanto, Frida, que ha permanecido en México, adelgaza varios kilos y enferma aún más gravemente. Cuando en agosto de 1940 Ramón Mercader logra, por fin, asesinar a Trotski en su propio despacho, la noticia la pone histérica. Su situación financiera es crítica debido a las continuas y caras consultas médicas. Por teléfono insulta a Diego y le acusa de ser culpable de su muerte por haber llevado al viejo a México.

Pero lo peor estaba por llegar. Frida, que había rehusado la amistad de Mercader en París, había terminado por aceptarlo en México como el resto de los allegados a Trotski, e incluso le había invitado en varias ocasiones a cenar en su casa de Coyoacán, junto a la novia americana de éste, Silvia Agelov. Esto la convertía en sospechosa, por lo cual la policía no dudó en arrestarla de manera preventiva cuando falleció el líder comunista.

Hoy en día parece suficientemente probado que Frida no tuvo nada que ver en su asesinato, aunque del pintor ha empezado a sospecharse que tal vez sí, y de hecho él fanfarroneó con esta idea años más tarde, tras volver al redil del PCM.

La verdad es que el plan orquestado desde Nueva York fue de tal complejidad que tardó mucho tiempo en descubrirse todo su entramado. El dirigente comunista Earl

Browder había encargado a un agente de la GPU que pusiera en contacto a Mercader con alguna persona del restringido círculo de amigos de Trotski.

Será la periodista Ruby Weil, en quien todos los trotskistas confían sin sospechar que trabaja secretamente para un funcionario del Komintern, quien presente a Mercader y la americana Silvia Agelov, hermana de una secretaria de Trotski.

Esto sucedió en París, como ya hemos dicho, en 1938, época en que Frida asistía en la ciudad a la exposición «Mexique».

Mercader es apuesto, políglota y sumamente discreto. Para no levantar sospechas, sus encuentros con la Agelov, que asiste como miembro del partido laborista a un congreso internacional en la capital francesa, siempre parecen casuales, dejando que sea ella quien le busque más adelante. Para ella es Frank Jackson, gracias al pasaporte falso de un comunista caído en la guerra española.

La pareja vuelve a verse en los Estados Unidos y México, adonde Silvia viaja cada vez con más frecuencia para visitar a su hermana. Para la Agelov, Mercader es un discreto hombre de negocios que, dedicado a la importación y exportación, viaja constantemente. A veces él le pide que le acompañe en alguno de sus viajes, para que ella se convenza de que nada hay de sospechoso en sus actividades.

Su desinterés por los asuntos políticos parece total.

Viviendo ambos en México, ella visita la casa de Trotski cada vez con más frecuencia; él se limita a acompañarla hasta la casa-fortín y aguardarla fuera, paseando frente a los guardaespaldas del líder comunista, sin expresar el más mínimo deseo de conocerle personalmente. Así durante meses. Hasta que en una ocasión le invitan junto con Silvia a participar en una excursión a un pueblecito a orillas de

Xochimilco. Durante la excursión Mercader se limita a saludar cortésmente a Trotski para subirse luego a una barca a solas con su novia. Pero a raíz de esa salida, Mercader ya no debe esperar a Silvia en la calle, sino que puede hacerlo en los jardines de la casa. Poco a poco, tras casi dos años de paciente trabajo, consigue que le inviten a comer con los Trostki. Ante el líder comunista defiende los intereses del capitalismo, como corresponde a su papel de comerciante, pero lo hace sin acritud, intentando parecer bastante incompetente para las cuestiones sociales y políticas, mostrando la creciente admiración por el líder; es una persona sencilla que sinceramente se ve sobrepasada por la inteligencia de otro para desentrañar asuntos de una índole muy superior. Parece un tipo perfectamente normal y, por tanto, inofensivo.

Cuando algún tiempo después empiece a mostrar un vago interés por la escritura, Trotski se ofrecerá para leer sus artículos y corregirle.

Con esta excusa puede presentarse solo en la casa sin despertar sospechas y, mientras el viejo lee concentradamente sus escritos, golpearle el cráneo con un piolet. Llevaba un pistola automática escondida para un caso de necesidad, pero su idea era asesinarle silenciosamente y dejar la casa sin que nadie se percatara de nada. En una reacción imprevista de Trotski, con el cráneo abierto y la sangre del mismo cegándole la vista, se vuelve contra su agresor mordiéndole la mano y alerta a los guardaespaldas, quienes detienen a Mercader. Con una increíble sangre fría, Trotski pide que le interroguen para averiguar quiénes se esconden tras su mano ejecutora.

No morirá hasta el día siguiente, en el hospital al que le habían trasladado.

La razón de que Frida le llame Mornard es que Mercader en los primeros tiempos de su detención confiesa llamarse así y ser de origen canadiense.

Mucho más tarde dirá ser belga y finalmente soviético. Sólo se sabrá que es de origen español cuando se descubra que es uno de los cinco hijos de Dolores Mercader del Río, activa comunista española emigrada a Bélgica y Francia, donde se habían criado Ramón y sus cuatro hermanos. Tras un breve regreso a España con ocasión de la guerra civil, había terminando en Rusia, donde trabajaba a las órdenes del cruel Beria. Según Mercader, tras conocer a Trotski tuvo sus dudas sobre llevar a cabo el asesinato, así que desde Moscú no dudaron en chantajearle: la vida de un viejo revolucionario que acababa de conocer o la de su propia madre.

Tras pasar junto a su hermana Cristina dos días en la cárcel, y al no hallarse pruebas que la incriminen, Frida es puesta en libertad con su salud aún más menguada. La situación preocupa seriamente a Diego, quien consulta con el doctor Eloesser la posibilidad de llevarla a los Estados Unidos para intervenirla allí.

Eloesser estaba convencido de que todos los problemas físicos de Frida derivaban de una grave crisis nerviosa, motivada por los últimos acontecimientos. La cirugía, como recomendaban los médicos mexicanos que trataban a Frida, no era para su amigo norteamericano la solución. Así se lo comunica por carta, logrando convencerla.

Tanto él como Diego van a esperarla al aeropuerto de San Francisco cuando Frida llega a principios de septiembre. Días más tarde la internan en el Hospital de San Lucas, donde fue sometida a tratamientos de calcio y electroterapia y se le prohibió el alcohol. También corrigen su anemia.

Durante su internamiento de un mes en el hospital inicia una relación amorosa con un joven exiliado alemán que le presenta Diego. Heinz Berggruen era ocho años más joven que Frida y trabajaba como funcionario para la Exposición Internacional del Golden Gate, donde había conocido a Rivera.

La relación continuó algún tiempo después de que Frida abandonara el hospital. Ambos viajaron por separado a Nueva York, donde continuaron su romance. Pero éste no podía prosperar. Ella necesitaba una personalidad fuerte a su lado, alguien en quien apoyarse y que la guiara, y Berggruen era aún demasiado joven e inmaduro para satisfacer tal necesidad. Desde el divorcio, Frida vivía angustiada por la enfermedad, por la penuria económica, porque no aceptaba haber perdido a Diego...

Aunque Berggruen estaba muy enamorado de la bella artista, sabía que la problemática de ella le superaba. Cuando Frida aceptó casarse de nuevo con Diego, tras varias peticiones de mano de éste, el joven alemán regresó a San Francisco y nunca se volvieron a ver.

CAPÍTULO XIV

— SEGUNDAS PARTES ¿NUNCA FUERON BUENAS? —

D IEGO *te quiere mucho y tú a él* —había escrito el doctor Eloesser a Frida, tratando de que la pareja se reconciliara antes del viaje de ella a los Estados Unidos.

También es cierto y tú lo sabes mejor que yo, que tiene dos grandes amores aparte de ti: uno, la pintura y dos, las otras mujeres en general. Nunca ha sido monógamo y jamás lo será, aunque esta virtud, en cualquier caso, es imbécil y contraria a los impulsos biológicos. En base a esto reflexiona, Frida. ¿Qué es lo que quieres hacer?

Si crees que puedes aceptar las cosas como son, vivir con él en tales condiciones, someter tus celos naturales a la entrega al trabajo, la pintura, la enseñanza en una escuela o lo que sea, mientras te sirva para vivir más o menos en paz... y te ocupe tanto que te acuestes agotada y cada noche, entonces cásate con él.

Lo uno o lo otro. Reflexiona, querida Frida, y decide.

Frida se dejó aconsejar por los amigos comunes de la pareja antes de tomar una decisión tan importante como la de volver con su ex marido. No todos le aconsejaron que lo hiciera. La independiente Anita Brenner fue, tal vez, la más opuesta. Para ella la petición de Diego era insensata.

Es normal que quieras regresar con él, pero yo no lo haría —le escribió el 25 de septiembre—. *Lo que atrae a Diego es lo que no tiene y si no te tiene muy amarrada y completamente segura, te seguirá buscando y necesitando.*

Nadie cree realmente que Diego pueda cambiar o superar sus defectos. En la misma misiva, Brenner aconseja a Frida que continúe teniendo una vida propia, pues sería lo único que amortiguaría «los golpes y las caídas». Que no se conforme con ser la sombra de alguien.

... hay que saber que, en el fondo, una depende solamente de sí misma y de allí tiene que salir todo lo que haga falta para el aguante y para ir haciendo las cosas, y para el buen humor, y para todo.

Los consejos de su buena amiga no cayeron en saco roto. Aunque Frida volvió con Diego, antes impuso sus condiciones. Deseaba mantenerse económicamente con su propio trabajo y contribuir al sostenimiento del hogar a partes iguales. Tampoco volverían a mantener relaciones sexuales.

Diego estaba tan feliz con la vuelta de Frida que, como reconoce en su libro de memorias, no le importaron ninguna de estas condiciones.

Así, el día en que cumplía cincuenta y cuatro años el «elefante» volvió a casarse con la paloma. Era el 8 de diciembre de 1940. Caía en domingo, pero la corte abrió expresamente para celebrar el acontecimiento. Los únicos testigos fueron un asistente de Rivera, Arthur Niendorff, y su esposa.

Sin ofrecer siquiera una recepción, Diego se fue esa misma tarde a continuar con su trabajo en el mural de la *Isla del Tesoro*. Tras una luna de miel de dos semanas en la misma California, Frida regresó a México para celebrar la Navidad con su familia. En febrero, libre ya de toda sospecha respecto al asesinato de Trotski, y una vez concluidos sus encargos en los Estados Unidos, Diego regresó también a la capital mexicana, instalándose en la Casa Azul con Frida y manteniendo la antigua vivienda de San Ángel como taller y oportuno lugar de citas con sus conquistas.

Libre de obligaciones sexuales hacia su marido, Frida comenzó a verlo cada vez más como un absorbente niño grandote del que ocuparse y al que mimar. Además de sus problemas de tiroides, había empeorado considerablemente de la vista. Como él no sabía resistirse a un buen manjar, Frida debía vigilar que sus excesos no le causaran indigestión, ni le engordaran demasiado. Con los años Diego se había vuelto bastante hipocondríaco y a menudo le daba por pensar que se estaba muriendo.

Con todo, los primeros meses de su nuevo matrimonio constituyeron un remanso de paz y armonía, gracias al pragmático cambio de actitud de Frida.

Así lo expresa en una carta del 18 de julio de 1941 al doctor Eloesser: *El recasamiento funciona bien. Poca cantidad de pleitos, mayor entendimiento mutuo y de mi parte menos investigaciones de tipo molón, respecto a las otras damas que de repente ocupan un lugar preponderante en su corazón. Así es que tú podrás comprender que la vida es así y lo demás, pan pintado (nada más que una ilusión).*

La compenetración de ambos era inaudita. Juntos iban al cine o a las peleas de boxeo. En cuanto a los conciertos sinfónicos, como Frida no compartía con su marido el gusto por la música clásica, Rivera tenía que hacerse acompañar por otras personas o acudir al auditorio solo.

Ella era más aficionada a los mariachis, que gustaba de escuchar en la calle, degustando unos buenos tacos. Frida cantaba muy bien las canciones populares.

En cuanto al trabajo, después de almorzar con su marido, éste se iba a San Ángel mientras que ella pintaba en casa. No por eso desatendía ella las tareas domésticas, de las que se ocupaba personalmente. Como le enseñara su madre, Frida adecentaba el hogar conyugal y compraba personalmente en el mercado los productos frescos que luego cocinaba para la pareja y su principal huésped de la época, la asistente de Diego, Emmy Lou Packard.

Frida disponía los alimentos y la decoración ocasional de la mesa artísticamente, como si de un bodegón se tratara, llegando a incluir alguno de sus animales en la misma, una ardillita enjaulada o su periquito preferido de la época: *Bonito*.

Para Frida, sus mascotas eran como los hijos que no había podido tener. Cuando «Bonito» murió, Frida se lo comunicó por carta, muerta de pena, a Emmy Lou, ya regresada a California: *Imagínate que el periquito Bonito se murió. Le hice su entierrito y todo; le lloré harto, pues acuérdate que era maravilloso. Diego también lo sintió retehartísimo.*

Además, en la casa había un loro macho que se pasaba el día maldiciendo en el patio, bebiendo cerveza o tequila y mordisqueando a traición los tobillos de los invitados en cuanto alguien le dejaba la jaula abierta. Frida poseía varias palomas domesticadas, el águila *Gertrudis Caca Blanca*, que dejaba excrementos de ese color por todo el patio..., una pareja de guajolotes grises. Por supuesto, estaban también sus pequeños perritos pelones, tantas veces retratados, sus monitos y el cervatillo *Granizo*.

A mediados de 1941 la salud de Frida volvió a empeorar; sobre todo, a raíz de la muerte de su padre por un ataque cardiaco, que la sumió en una nueva depresión. Se encuentra en un periodo en que busca la soledad, huyendo de las fiestas y las reuniones sociales. Trata de llevar una vida lo más simple posible. Las noticias que llegan sobre la guerra en Europa no ayudan a que su estado de ánimo mejore, todo lo cual se refleja en las obras de este periodo, más sombrías, como el *Autorretrato con «Bonito»*, donde se pinta en colores oscuros que parecen sugerir el luto de la artista por su precioso pajarito, o por su padre, o por todas las víctimas inocentes de la injusticia y la guerra...

En *Autorretrato con trenza* (1941), Frida parece haberse puesto una cinta trenzando los mechones antes esparcidos por el *Autorretrato de pelona* para tejer una trenza en forma de ocho tumbado, o símbolo del infinito... Comparado con los recogidos anteriores, es un peinado carente de gracia o hermosura. La representación parece bastante elocuente: no es lo mismo una taza intacta que otra con los pedazos pegados tras la ruptura.

Muchas cosas han cambiado desde que se casara por primera vez con Diego. El matrimonio marcha bien, pero quedan las heridas del pasado y no pocos problemas (de salud, pérdidas de seres queridos, dificultades económicas, aislamiento político...) en torno a ellos.

En cualquier caso, será en esta década de los 40 cuando la carrera de Frida despegue gracias a los encargos de varios mecenas apasionados de su obra y a su creciente participación en exposiciones colectivas y todo tipo de actividades culturales paralelas, tales como premios, becas y conferencias.

También por la redacción de artículos para diversas publicaciones, entre ellas el *Semanario de Cultura Mexicana*, dirigido por el «cachucha» Miguel N. Lira.

Frida expone en varias colectivas tanto dentro como fuera de sus fronteras. En 1941 Boston acoge obras suyas y de Rivera en la exposición «Pintores del México Moderno», organizada por el Instituto para las Artes Contemporáneas de esta ciudad; una muestra que luego viajaría por otros cinco museos norteamericanos.

En 1943, *Las dos Fridas*, *Lo que me dio el agua* y uno de sus autorretratos fueron incluidos en la exposición «El Arte Mexicano de hoy», en el Museo de Arte de Filadelfia, y la gran coleccionista de arte Peggy Guggenheim escogió otro autorretrato de 1940 para «Mujeres Artistas», una muestra coordinada por su galería Art of this Century.

Su reconocimiento en los Estados Unidos es indiscutible, mientras que su prestigio crece de día en día en su propio país. A principios del mismo 1943 participó, en la Biblioteca Benjamín Franklin del Paseo de la Reforma, en la exposición dedicada a un siglo del arte del retrato en México, y al año siguiente prestó un cuadro —hoy perdido—, *El sol y la luna*, para otra exposición cuyo tema era «El niño en la pintura mexicana».

En varias ocasiones tomó parte con cuadros de tema floral en el «Salón de la Flor», feria anual de las flores de Ciudad de México.

El gobierno la comisiona de manera oficial en 1941. El encargo, para el comedor del Palacio Nacional, son los retratos de las cinco mujeres mexicanas que más habían destacado en la historia, entre las que se hallaban la escritora barroca Sor Juana Inés de la Cruz y la reina Xóchitl, impulsora bajo su reinado de la popularización del consumo de pulque. Por desgracia, no culminó esta comisión pero sí otra, mucho menos ambiciosa aunque ciertamente interesante, que, en 1942, Frida ejecutó para el presidente Manuel Ávila Camacho. Se trataba de un curioso bodegón en forma circular que le fue devuelto, tal vez por el razonable parecido de los vegetales representados con ciertas partes, un tanto turbadoras, del cuerpo humano.

Frida continúa sin comprometer su arte cuando se trata de encargos, por lo que le sigue resultando bastante difícil complacer a muchos de sus clientes. Aunque Rivera le envía a muchos de los admiradores norteamericanos que le visitan en San Ángel, pocos son los que también adquieren algo de Frida. Sus ingresos son insuficientes para gozar de la independencia económica que tanto precisa ahora. Por esta razón, a veces se ve obligada a malvender; caso de *Las dos Fridas*, que adquiere el Museo de Arte Moderno de la Ciudad de México por cuatro mil pesos, una cantidad ridícula para esta obra.

Como su marido y tantos otros artistas, Frida tuvo sus propios mecenas privados. Entre ellos, José Domingo Lavín, responsable de que Frida pintara el cuadro por el que le dieron el premio en la Exposición Nacional: *Moisés* (1945). El ingeniero le había prestado un ensayo de Freud: *Moisés y el monoteísmo*, que había impresionado vivamente a Frida, quien no pudo resistirse a la tentación de trasladar al lienzo las emociones suscitadas por el mismo.

La parte central del cuadro la ocupa Moisés en el momento en que va a ser alumbrado y ya luego nacido, envuelto en una sábana y depositado en el mismo cesto que le salvaría la vida en el Nilo. Al lado del feto y debajo del bebé ya nacido, representaciones del momento de la fecundación, eterna obsesión de Frida.

El héroe, que lleva el tercer ojo, el de la sabiduría, dibujado en la frente, nace bajo un desproporcionado sol rojo que toca con sus rayos acabados en manos al resto de los personajes que circundan al niño. Frida lo representa, pues para ella constituye el centro de todas las religiones, el origen de la vida.

Alrededor de Moisés, Frida retrata a muchos de los personajes que han ido liderando a la Humanidad a través de la Historia (César, Buda, Napoleón, Lenin, Marx, Gandhi...). Estos «hombres de fuste» están separados de sus dioses (y aquí Frida vuelve a mezclar religiones y mitologías: grecorromana, egipcia, indígenas, cristiana...), por dos esqueletos y por el mismísimo diablo. Abajo, la humanidad corriente, encabezada por un hombre y una mujer amamantando a su hijo, los tres de rostro y cuerpo multicolor, modo en que Frida alude al origen común de todas las razas. Junto a los primeros humanos, sus antepasados (a decir de Darwin) simios...

La escena del nacimiento está separada de la galería de personajes históricos por dos gruesos troncos de árbol en proceso de descomposición, de cuya madera surgen, sin embargo, algunos brotes que nos vuelven a recordar la vieja historia de la vida que se nutre de la muerte para continuar un ciclo sin fin.

El cuadro es un reflejo de su panteísta visión de la vida; en él funde todas las dimensiones de tiempo y espacio.

Para Frida, todo en la historia y en el cosmos se hallaba íntimamente relacionado, intrincado incluso, moviéndose al ritmo de una única ley, la de la Vida. Los gozos y las penas sólo son las partes del proceso mismo de existir. Para Frida, en esencia, todos somos todo y lo mismo, y así lo expresa en su diario:

Nadie es más que una función o una parte de la función total... Nos dirigimos a nosotros mismos a través de millones de seres piedras, de seres aves, de seres astros, de seres microbios, de

*seres fuentes, de nosotros mismos. Variedad del uno, incapaci-
dad de escapar al dos, al tres, al etcétera, de siempre... para regresar al uno. Pero no a la suma (llamada a veces Dios, a veces
libertad, a veces amor)... No... somos odio-amor-madre-hijo-
planta-tierra-luz-rayo-etcétera-mundo dador de mundos uni-
versos y células universales.*

En los últimos diez años de su vida, sin ánimos de convertirse en una escritora, Frida comienza a volcar en un cuaderno sus sensaciones, dando a luz un nuevo autorretrato,
íntimo y muy personal, un diario pintado que ha sido considerado por muchos como su única obra auténticamente
surrealista.

Sin respetar ni las reglas de puntuación ni las de la orto-
grafía, Frida transcribe lo que siente y lo que piensa; lo que
vive y lo que muere cada día, en un diario tan libre que a veces parece ir a la deriva; donde los dibujos, pergeñados a lápiz y a pastel con vivos colores, aportan tanto (y, a veces, tan
poco) como los textos...

Frida ni siquiera trata de comprenderse mejor a través de
sus escritos, ni de explicarse para que las generaciones veni-
deras la interpreten correctamente. Este Diario, incons-
cientemente, le sirve de terapia; es una clara y permanente
confrontación con el terrible mundo exterior que ya no domina, con las circunstancias que la torturan. En sus páginas
se confronta con Diego, consigo misma y con los demás;
juega irónicamente con las palabras, como tantas otras veces hizo en sus pinturas; suspira por la liberación de una posible locura, repiensa su sexualidad, realiza declaraciones de
fe política, transcribe cartas, cuenta a su manera la historia
de su familia... Finalmente, se enfrenta con los despojos de
su físico ante la humillante mutilación.

En julio de 1953 escribirá: *«A mí, las alas me sobran. Que las corten. ¡Y a volar!»*

Este conmovedor soliloquio resulta muchas veces incomprensible, tal vez porque al final ella escribía bajo el efecto del alcohol o de las drogas. Frida parece utilizar la técnica surrealista del «automatismo» que no desconocería, asociando palabras aparentemente desligadas entre sí, listas de términos que empiezan por la misma letra o cuyo sonido se parece. Puede que le gustaran en sí mismas o por lo que evocan. Éste es un ejemplo:

SONRISA
TERNURA
gota, sota, mota.
MIRTO, SEXO, roto,
LLAVE, SUAVE, BROTA
LICOR mano dura
AMOR silla firme
GRACIA VIVA
VIVA PLENA
LLENA
SON...

El continente, un cuaderno con tapas de cuero rojo en cuya cubierta se hallan grabadas en color dorado las iniciales «J. K.», fue al parecer comprado a un anticuario neoyorquino y regalado a Frida por una amiga. Ésta lo empezó en torno a 1944 y de él sólo quedan 170 páginas, pues muchas fueron arrancadas por amigos tras su muerte. Además de sus textos, contiene varias acuarelas, algunas de las cuales son retratos; otras, caricaturas o esbozos de temas que luego desarrollaría en sus lienzos...

El original se conserva en la casa-museo de Coyoacán, pero en 1995 se publicó una interesante versión facsímil prologada por el escritor y diplomático Carlos Fuentes y la historiadora del arte Sarah M. Lowe. Recientemente, se ha reeditado una (*El diario de Frida Kahlo. Un íntimo autorretrato*, Madrid, Editorial Debate. 2001, tercera edición).

CAPÍTULO XV

A partir de 1944 el deterioro de su salud es particularmente grave. Ese año el osteólogo Alejandro Zimbrón le recomienda reposo absoluto y la constriñe a llevar un corsé de acero que logra aliviarla, pero sólo por un tiempo. Frida desespera por momentos. Los médicos parecen dar palos de ciego con ella.

Al principio —escribe al doctor Eloesser, desde la cama, a los pocos meses de llevarlo— *me costó mucho trabajo acostumbrarme, pues era de la chingada aguantar esa clase de aparatos, pero no puedes imaginarte cómo me sentía de mal antes de ponerme ese aparato. Ya no podía materialmente trabajar, pues me cansaba de todos los movimientos por insignificantes que fueran. Mejoré un poco con el corsé, pero ahora vuelvo a sentirme igual de mal y estoy ya muy desesperada, pues veo que nada mejora la condición de mi espina. Me dicen los médicos que tengo inflamadas las meninges, pero no me acabo de explicar cómo está el asunto pues, si la causa es que la espina debe estar inmovilizada para evitar la irritación de los nervios, ¿cómo es que con todo y el corsé vuelva a sentir los mismos dolores y las mismas friegas?*

Además de en las cartas, Frida plasma su acuciante dolor y desesperación en un cuadro. *La columna rota* (1944) representa a una Frida desnuda, apresada en un corsé de láminas de acero con todo el cuerpo y la cara llena de pequeños clavos y abundantes lágrimas rodando por sus mejillas... Esta vez, la mártir deja ver, a través de su tronco abierto, una columna vertebral sustituida por una columna jónica rota a diversas alturas. Su edificio se desmorona. Si no la apuntala la estructura de acero, no puedo sentarse ni mantenerse de pie... El reseco paisaje del fondo es una prolongación de su soledad y su dolor. La desolación se lee en los áridos colores elegidos para las grietas del desierto que la rodea.

Frida adelgaza considerablemente y además sufre de fiebres y desmayos. Una revisión algo más profunda sirve para diagnosticarle sífilis. Baños de sol, transfusiones de sangre y tratamientos con sales de bismuto son recomendados contra esta enfermedad venérea. Nuevos análisis radiológicos y drenajes espinales aconsejan una operación que, sin embargo, no se llevará acabo.

Después del corsé de acero de 1944 y hasta su muerte, vendrían otros veintisiete corsés, tres de cuero y los demás de yeso. Uno de éstos, expuesto en su casa museo de Coyoacán, tiene una anécdota curiosa relatada por su amiga, la pianista Ella Paresce:

Al parecer el corsé se lo había puesto un amigo médico que no era especialista en ortopedia. En la madrugada, cuando el yeso empezó a endurecer, Frida despertó a Ella gritando que se ahogaba. El corsé estaba tan apretado que le oprimía los pulmones, impidiéndole, en efecto, respirar.

Como ningún médico respondía a esas horas de la noche, ella misma tuvo que practicarle un corte de varios centímetros con una navaja hasta que llegó un médico que terminó la faena.

Al día siguiente, con el sentido del humor que la caracterizaba, Frida se rió con su amiga del asunto ya pasado y decoró el corsé con una alegoría de su columna rota.

No sería el único corsé decorado. En otro dibujó un feto y en el que llevaba en 1950 durante su estancia de nueve meses en el hospital ABC, dibujó sobre una estrella la hoz y el martillo, símbolos de su fe comunista.

Otro de los cuadros que mejor expresa cómo se siente Frida en este período es *Sin esperanza* (1945). En éste Frida llora tumbada en una cama en medio de un paisaje reseco de piedra volcánica lleno de simbólicas grietas. Sobre el caballete especial que Frida utilizaba para pintar cuando no podía alzarse del lecho, se sostiene una especie de cuerno de la abundancia en el que ella vomita toda suerte de alimentos: pescados, cerdo, un pollo, salchichas... Hasta una calavera de azúcar que lleva escrito en la frente el nombre de la pintora. Detrás del marco, Frida escribió: «A mí no me queda ya ni la menor esperanza... Todo se mueve al compás de lo que encierra la panza.» El médico tenía que obligarla a comer cada pocas horas para contrarrestar su creciente delgadez.

El sol y la luna son los únicos espectadores de su sufrimiento. Éstos podrían simbolizar, como en la cultura azteca y tantas otras obras suyas, la eterna lucha entre el bien (salud) y el mal (enfermedad). La comida, aunque repugne a Frida y le cause un nuevo sufrimiento, es lo único que la redime y mantiene con vida.

El 14 de febrero de 1946, tras pasar los últimos cuatro meses en cama, Frida envía su historia clínica a los Wolf,

junto con una carta en la que les pide que se la hagan llegar a un reputado especialista de Nueva York, el doctor
Philip Wilson, que le ha recomendado un matrimonio de
amigos (los Boitler), pues ya no confía más en los ortopé-
dicos mexicanos.

Tres meses más tarde, en mayo, vuela a Nueva York acompañada de su hermana Cristina, sin cuya presencia se negaba a dejarse anestesiar, para hacerse operar por el doctor
Wilson en el mes de junio. Le extrajeron un hueso de la pelvis, con el que luego soldaron cinco vértebras.

Como las dos primeras semanas de convalecencia fueron de un increíble sufrimiento, empezaron a suminis-
trarle altas dosis de morfina que le provocaban pesadillas
y alucinaciones. Luego Frida empezó a recuperarse, recibiendo numerosas visitas de sus amigos y dibujando durante los aproximadamente dos meses que pasó en el hospital. Para octubre, ambas hermanas estaban de regreso en
la Casa Azul.

Semanas antes, en septiembre, a Frida le habían concedido un premio especial de pintura dotado con cinco mil
pesos, en la Exposición Nacional de carácter anual que se
celebraba en el Palacio de Bellas Artes. Los otros tres artistas galardonados en esa ocasión con el mismo premio fueron Doctor Atl, Francisco Gotilla y Julio Castellanos. El gran
Premio Nacional de Arte y Ciencia se lo llevó aquel año
Orozco, por sus murales del Hospital de Jesús.

El triunfo en lo profesional no se paraba ahí. En este
año de 1946 había recibido una beca gubernamental junto a otros cinco artistas..., pero gastaba demasiado en su
salud. Sus problemas, de hecho, continuaron tras la fusión de la espina dorsal por el doctor Wilson, teniendo
que guardar cama y llevar, como hemos dicho, nuevos corsés. Era incapaz de llevar la vida de reposo que le habían

recomendado y además seguía sin apetito, por lo que le vino una anemia.

Pero lo peor fue que tuvo que someterse a una nueva fusión de la columna. En opinión de otros especialistas mexicanos, el doctor Farill (su nuevo «gurú») entre ellos, el cirujano estadounidense había soldado las vértebras que no debía, por lo que Frida se sometió a una nueva intervención, esta vez en México.

Otras opiniones dicen que la operación de Wilson había sido impecable y que nadie sino Frida misma había sido culpable del fracaso posterior de la intervención, pues se negaba a cumplir con el reposo recomendado, además de dañarse la columna con acciones violentas, como cuando una noche se arrojó al suelo pataleando histérica por alguna situación desagradable relacionada con Diego, según contó Lupe Marín en una entrevista privada a Hayden Herrera.

Parece ser que Frida sufría además de osteomielitis, una inflamación de la médula ósea que hubiera imposibilitado, en cualquier caso, su definitiva recuperación.

Además de padecer los dolores derivados de su espalda enferma, Frida sufre de compasión por sí misma. En 1946 la expresa en varias obras, por ejemplo en *El venado herido* o *Soy un pobre venadito* (1946), donde cede su rostro a un ciervo herido de muerte por las flechas de los cazadores. El escenario es un bosque de árboles resecos. La única rama verde yace a los pies del venadito, rota, como su misma juventud.

No hay nada que hacer, su creencia de que el doctor Wilson la curaría para siempre se ha visto frustrada. Frida cede a la depresión. Pero con la aparición del doctor Farill vuelve a aferrarse a un resquicio de esperanza. Tal vez esa nueva intervención o un nuevo corsé puedan ayudarla.

Como hiciera en *Las dos Fridas*, también en 1946 Frida vuelve a desdoblarse en un cuadro. Se trata de *Árbol de la esperanza, mantente firme* (1946), que pinta para uno de sus mecenas, el ingeniero Eduardo Morillo Safa.

Frida, majestuosa con su atuendo de tehuana en vivo color rojo (el color de la sangre y de la vida), vela por la recuperación de otra Frida que yace de espaldas, recién operada sobre la cama con ruedas de un hospital. Cubierta con una sábana, la Frida convaleciente muestra dos cicatrices aún sangrantes en el centro de su espalda. Aunque la Frida radiante llora y parece llevar ella misma un corsé ortopédico a juzgar por las abrazaderas bajo sus hombros, su rostro expresa con dignidad su férrea voluntad de vivir.

El mensaje, que a Frida le gustaba repetir como una especie de lema de su vida, se haya recogido en el banderín que sostiene en su mano derecha y que da título a la obra: *Árbol de la esperanza, mantente firme,* verso de una de las canciones favoritas y más cantadas por Frida, que continúa: *que no lloren tus ojos, cielito lindo, al despedirme.*

Ése es el mensaje de la Frida despierta para la anestesiada por la reciente operación: «resiste». En la mano izquierda exhibe el corsé de cuero que ya no hará falta a la Frida operada. En el fondo, un simbólico paisaje árido lleno de fallas que ya ha repetido en hartas ocasiones, vuelven a presentarse contemporáneamente la luna y el sol.

CAPÍTULO XVI

— ¿CÓMO SE HACE ESTO DE DAR CLASES? —

SIN duda una de las actividades que más satisfacciones personales aportó a Frida en los años 40, a pesar de los sufrimientos físicos, fue su actividad docente.

En 1943, un año después de que la Escuela de Escultura fuera transformada en Academia de Arte para Pintura y Plástica, Frida se convirtió también en profesora. Junto a ella, otros veintiún artistas fueron incorporados al plantel docente de la escuela con la idea de reformar las clases en «La Esmeralda», nombre con que los alumnos bautizaron a la escuela, tomado de la calle en que ésta se ubicó por vez primera. Además de Rivera, que enseñaba composición, fueron profesores de La Esmeralda: Francisco Zúñiga, Jesús Guerrero Galván, Manuel Rodríguez Lozano, María Izquierdo, Agustín Lazo y Carlos Orozco Romero.

La principal novedad de esta escuela era que sus profesores compartían el ideario nacionalista mexicano y rechazaban los modelos europeos. En lugar de copiar durante horas fríos modelos de escayola o cuadros clásicos de otras épocas y culturas, los alumnos debían inspirarse en la realidad circundante, en la cultura viva de su propio país.

Las clases y los materiales eran gratuitos, ya que la mayoría del alumnado procedía de las capas sociales más humildes. Además de practicar con los pinceles en el único salón del que constaba la humilde escuela o en su patio (cuando no llovía), los alumnos aprendían materias tradicionales como matemáticas, historia, español y francés (esta última impartida por un maestro de lujo, el poeta exiliado Benjamín Péret).

Frida dirigía una clase de pintura durante doce horas semanales. Como Diego había hecho previamente con ella, no tutelaba a sus alumnos tratando de inculcarles su estilo o una técnica específica, sino que les estimulaba para que alcanzaran su propia voz creativa, un camino expresivo adecuado a cada temperamento. Frida, que decidió tutearse con ellos desde un principio, fomentaba en cada alumno la autocrítica y una cierta disciplina, pero nunca imponiendo su visión o atacando directamente un proceso creativo.

Ella nunca hablaba de cómo debían pintar, sólo les inculcaba su gran amor por el pueblo mexicano y su arte ancestral. Les recomendaba que pintaran todo aquello que hallaran a su alrededor, por la calle o en sus casas. Su alegría y su pasión por la vida cautivaron desde el primer momento a sus alumnos, sobre todo cuando ella confesaba abiertamente que no tenía la más mínima idea de cómo se hacía eso de enseñar, según contó una de sus primeras pupilas, Fanny Rabel, a Hayden Herrera.

Otro de aquellos primeros discípulos, el pintor Guillermo Monroy, la califica de «flor andante» y así la recuerda en el artículo-homenaje que escribió para *Excelsior* a los veintiocho años de la muerte de Frida. Se trata del primer día de ésta en La Esmeralda. En su primer discurso, Frida hace una declaración de principios e intenciones.

Apareció de repente, evocando un estupendo ramo de flores por su alegría, amabilidad y encanto. Sin duda, esta impresión se debió al vestido de tehuana que llevaba y que siempre usaba con tanta gracia. Los jóvenes que íbamos a ser sus alumnos la recibimos con verdadero entusiasmo y emoción. Platicó brevemente con nosotros, después de habernos saludado con mucho cariño, y pasó sin rodeos a anunciar de manera muy animada: «Bueno muchachos, pongámonos a trabajar. Voy a ser lo que se llama "maestra", pero no soy nada de eso; sólo quiero ser su amiga. Nunca he sido maestra de pintura ni creo serlo jamás, pues todo el tiempo estoy aprendiendo. Es cierto que la pintura es lo más estupendo que existe, pero resulta difícil ejecutarla bien. Hace falta practicar y aprender a fondo la técnica, tener una disciplina muy rígida y, sobre todo, sentir mucho amor por ella. De una vez por todas les voy a decir que me comuniquen si la poca experiencia que tengo como pintora les sirve de alguna forma. Conmigo pintarán todo lo que quieran y sientan. Trataré de comprenderles lo mejor posible. De cuando en cuando me permitiré hacer unos cuantos comentarios acerca de su trabajo, pero les pido, al mismo tiempo, que hagan lo mismo cuando les enseñe el mío, pues somos cuates. Nunca les quitaré el lápiz para corregir algo. Quiero que sepan, queridos niños, que no existe en todo el mundo un maestro capaz de enseñar el arte. Hacer eso de veras es imposible. Seguramente hablaremos mucho de alguna que otra cuestión teórica, de las distintas técnicas usadas en las artes plásticas, de la forma y el contenido artísticos, y de todas las demás cosas estrechamente relacionadas con nuestro trabajo. Espero no aburrirles y, si lo hago, les ruego que no se queden callados, ¿de acuerdo?»

Pronunció estas palabras sencillas y bastante claras sin amaneramiento ni afectación, con una falta completa de pedantería. Después de un momento de silencio, la maestra Frida nos preguntó a todos qué queríamos pintar. Al escuchar esa pregunta muy directa, todo el grupo se desconcertó y, mirándonos los unos a los otros, no supimos qué contestar de inmediato. No obstante, cuando vi lo bonita que era, le pedí con franqueza que posara para nosotros. Visiblemente conmovida, una leve sonrisa floreció en sus labios; pidió una silla. En cuanto se sentó, fue rodeada por caballetes y alumnos.

Ahí estaba Frida Kahlo ante nosotros; seria, asombrosamente quieta, guardando un silencio tan profundo e impresionante que nadie, ni uno de nosotros, se atrevió a interrumpirle...

Frida animaba las clases con chistes y mucha plática. Enseñaba cómo pintaba, guiada por su instinto, de manera entusiasta y espontánea, comunicándoles su misma pasión por cosas hermosas. Muchas veces organizaron excursiones para pintar al natural. En los trayectos de ida y vuelta Frida intercambiaba canciones con sus pupilos...

Aunque, menos de un año después de comenzar sus actividades docentes, la salud de Frida comenzó a resentirse por la distancia entre Coyoacán y la escuela, no por ello abandonó a sus alumnos, a quienes invitó a continuar las clases en su propia casa. Aunque casi todos lo hicieron al principio, pronto sólo quedaron cuatro, a los que no arredraba la larga distancia en autobús hasta Coyoacán. Conocidos como los «Fridos», éstos fueron Arturo Estrada, Arturo García Bustos y los ya mencionados Fanny Rabel (entonces Rabinovich) y Guillermo Monroy.

Los cuatro la adoraban, permaneciendo muy unidos a ella incluso mucho después de acabar su periodo de estudios, trascendiendo la relación maestra-alumnos para convertirse en una pequeña familia, con acceso a Rivera y todas las personalidades del bohemio entorno de Frida, quien también les ayudaría en los primeros tiempos de sus carreras, promoviendo su participación en exposiciones colectivas y estadías como asistentes de pintores consagrados.

En el patio de la Casa Azul pintaban todos los objetos que constituían el universo íntimo y pictórico de Frida, sus animales de compañía y las plantas de su jardín, así como los objetos de arte precolombino que el matrimonio coleccionaba.

Frida quiso también formarles en la Historia del Arte para que no desconocieran a algunos de sus pintores preferidos, como Rousseau «el aduanero», Brueghel, Grünewald, Piero della Francesca, Blake, Clouet, Klee, Gauguin o Picasso.

La ávida lectora que había sido en su juventud resurgió para inculcar el amor por la literatura en sus pupilos. Tampoco les ahorró una formación política marxista. Frida animó a sus alumnos a sensibilizarse con los problemas sociales y a desear involucrarse en su denuncia y solución. Aunque Frida fuera incapaz de producir cuadros con mensaje político, para ella, como para Diego, el arte debía contribuir a construir y mejorar la sociedad mexicana.

Así, con el tiempo los «Fridos» constituyeron el germen de un grupo de artistas de izquierda comprometidos con llevar el arte al pueblo. Este grupo, conocido como los «jóvenes revolucionarios», que llegó a contabilizar hasta cuarenta y siete miembros, realizaba exposiciones itinerantes por los mercados de los diferentes barrios obreros de Ciudad de México.

Pero mucho antes de aquello, tuvo lugar uno de los eventos más originales de los organizados bajo los auspicios de Frida: la redecoración mural de la pulquería «La Rosita», que llevaron a cabo tres de los «Fridos» (Arturo

García Bustos se quedó fuera) y otros alumnos y alumnas de la escuela.

Frida y Diego ofrecieron los materiales mientras que los dueños del local cedieron sus encaladas paredes y corrieron con los gastos de la gran fiesta de inauguración, a la que, inesperadamente, quiso acudir el todo México. Artistas plásticos, cineastas, músicos y literatos se codearon por unas horas con los alumnos de La Esmeralda y otras gentes del barrio de Coyoacán.

Todos comieron una gran barbacoa que regaron, cómo no, con abundante pulque, y hasta actuó un mariachi, tan del gusto de Frida, para terminar con globos y fuegos artificiales. Bajo la atenta mirada de cámaras y periodistas, Frida rivalizó con la cantante Concha Michel cantando corridos, vestidas ambas de tehuanas, al igual que el resto de las alumnas de la escuela. La gente bailaba y cantaba por las calles bajo una lluvia de confetis. Hasta Frida se arrancó, a pesar de sus dolores de espalda, bailando jaranas y zapateados con Diego.

A resultas del éxito de estos murales, en 1944 Frida les consiguió otro proyecto. Se trataba del salón de banquetes de un hotel de lujo, recién construido por un viejo amigo de los Rivera. El encargo era en realidad para Diego y Frida, quienes lo aceptaron con la condición de que los alumnos de ella les ayudaran. El tema general para los frescos, aportado por el restaurador, serían los grandes amores de la literatura universal. Pero los chicos pronto lo cambiaron por otro menos pasado de moda y más interesante a su juicio, representando los usos y costumbres amorosas en México, como los cortejos en los bailes. Cuando el dueño se enteró del cambio, se sintió en cierto modo burlado y canceló la comisión, destruyendo lo creado hasta el momento.

Un año más tarde, fue la Casa de Mujeres «Josefina Ortiz Domínguez» de Coyoacán la que sí se vería engalanada con el talento de los «Fridos». Se trataba realmente de una de las muchas lavanderías públicas que el presidente Cárdenas había mandado construir para mejorar las condiciones laborales de las lavanderas, mujeres que a menudo sostenían sus hogares en solitario, pues eran viudas o madres solteras que debían ejercer su oficio en insalubres arroyos.

Este edificio de Coyoacán, en concreto, constaba de varias construcciones dedicadas a diversos fines: la lavandería propiamente dicha, el comedor, la guardería y el salón de actos, que fue donde los «Fridos» realizaron su mural.

Consensuada la idea general, cada uno de los alumnos expuso su proyecto individual, eligiendo finalmente el de Monroy, por ser «el menos doloroso». Cada uno de los alumnos incluyó retratos de las lavanderas ejerciendo las diversas fases de su oficio (lavando, planchando, cosiendo...) en la pared de la que era responsable.

Por desgracia, los frescos —que fueron inaugurados, como no podía ser de otra manera, un 8 de marzo, Día de la Mujer, con una gran fiesta en la que no faltaron los discursos políticos— no se conservaron mucho tiempo debido a la fragilidad de la pintura al temple con que fueron ejecutados sobre paredes secas.

Lo que sí duró, siempre, fue la amistad de los «Fridos», que continuaron cada uno con su carrera particular después de concluir sus estudios en La Esmeralda, pero siguieron siempre estrechamente unidos entre sí y orgullosos de su sobrenombre, que les recuerda el legado artístico y personal de su querida maestra.

CAPÍTULO XVII

— Hacia un lento declive —

A finales de la década de los 40, los gustos artísticos han cambiado, mostrándose más en consonancia con los temas y el estilo de Frida. También con el tamaño de sus obras.

A la pionera galería de Inés Amor siguió, con los años, la apertura de otras muchas galerías privadas que precisaban obras de caballete más fáciles de colgar de sus muros. Este tamaño, que durante décadas había estado bajo sospecha por simbolizar la decadencia burguesa, resurge con fuerza. Todos los pintores se pasan a los formatos más fáciles de enseñar y vender. También Diego.

La hegemonía del muralismo da paso al triunfo de otras tendencias, como el modernismo y el surrealismo. La estrella emergente de la época es, sin duda, Rufino Tamayo, pintor de estilo enérgico y colorista que supo conjugar la influencia de las vanguardias europeas (admiraba, sobre todo, el cubismo de Picasso) con la tradición precolombina y el folclore mexicano.

Nacido en Oaxaca en 1899, Tamayo había perdido a sus padres a los ocho años, siendo criado por una tía en

Ciudad de México. A los dieciséis años la tía le matriculó en una escuela de contabilidad pero, por su cuenta, Tamayo hizo lo propio en la Academia San Carlos de Bellas Artes, donde estudió en secreto hasta que en 1921 decidió que no le gustaba su rígida estructura. Antes de viajar a Nueva York y a París en pos de nuevas tendencias que enriquecieran su visión artística, trabajó en el Departamento de Dibujo Etnográfico del Museo de Antropología, donde aprendió enormemente acerca de los indígenas y su cultura, experiencia que dejaría una imborrable impronta en su obra. En la década de los 30 se separó del muralismo. Muy famoso en los Estados Unidos, consiguió representar también, para muchos de sus compatriotas, la pura esencia de la cultura mexicana.

El arte de Frida, no obstante, siguió siendo ajeno a modas y tendencias. En los últimos años de la década de los 40, continuó retratándose y aludiendo tanto al dolor físico (su salud continuó deteriorándose gravemente) como al psicológico, causado fundamentalmente por las persistentes infidelidades de Diego, que Frida nunca superó del todo.

Una de las relaciones más dolorosas y seguramente humillantes para Frida fue la que Diego mantuvo durante un par de años (1948-1949) con la actriz María Felix; particularmente degradante para Frida, por cuanto generó un gran escándalo público y hasta se llegó a especular en la prensa que Diego le pediría un segundo divorcio a Frida para desposar a la diva.

La relación empezó probablemente con un retrato que Diego hizo de la artista sobre el que Diego quería hacer girar la exposición retrospectiva que le dedicaría el Palacio de Bellas Artes. Ante la importancia de ambas personalidades, la prensa comenzó a especular sobre si el retrato de la Félix sería o no un desnudo, dado que no se admitían espectadores durante su tiempo de posado. Pero como al final María se negó a prestar su retrato para la exposición, Diego lo sustituyó en el último momento por un desnudo a tamaño natural de la poetisa Pita Amor.

Con todo, algunos fotógrafos lograron tomar fotografías en las que Diego miraba embobado a la actriz y los rumores sobre un posible matrimonio de Rivera y Félix se dispararon. En la prensa Diego afirma estar enamorado de María y dejó claro que su intención de divorciarse de Frida no tenía tanto que ver con su amor por María cuanto con el daño que su presencia causaba a la pintora, a quien sin embargo adoraba.

Frida manejó con astucia la situación, fingiendo a veces que no le importaba y manteniendo su «amistad íntima» con María, cuya imagen adornaba su propia habitación en la Casa Azul.

Tal vez comprendió que María no amaba tanto a Diego como para casarse con él y que sólo tenía que esperar... Al parecer llegó a enviarle un mensaje a María en el que le decía que se lo regalaba. O quizá porque conocía muy bien a Diego, sospechó que éste se sentía tan atraído por la belleza de la diva como por la expectación que todo el escándalo estaba suscitando, sin que su amor por ella fuera lo suficientemente profundo y real como para sellarla sobre un documento oficial en un juzgado. Versiones hay casi tantas como espectadores de la historia...

Lo único cierto es que la diva rechazó a Diego, y éste volvió al lado de Frida, que, como tantas otras veces, superó después de un tiempo su depresión y dolor con la alegría de haberlo recuperado.

Al cabo de cierto tiempo, todo estuvo en orden de nuevo. —cuenta al respecto Diego en sus memorias—. *Logré so-*

brellevar el rechazo de María. Frida estaba contenta porque
había regresado, y yo, agradecido por seguir todavía casado
con ella.

De la pasión, aun en solitario, que Diego inspiraba en
Frida dan fe tanto las páginas de su diario como las obras de
la época. Así el *Autorretrato* de 1948, en que Frida vuelve a
retratarse como tehuana, pero sobre todo *Diego y yo*, un encargo de la escritora y fotógrafa norteamericana Florence
Arquin y su esposo.

En esta obra Frida se pinta con su negro pelo suelto y
un retrato de Diego en medio de la frente, como si sólo él
y nadie más que él ocupara día y noche sus pensamientos
y causara las lágrimas que desfilan por su rostro.

Otro gran cuadro de la época es *El abrazo de amor de el
universo, la tierra (México), yo, Diego y el señor Xólotl* (1949).
En esta obra, más que una esposa o una amante, Frida es la
madre que abraza a un Diego-niño desnudo al que debe alimentar (con el extraño chorro que brota de su pecho a través del vestido) y proteger. Ella había expresado en su artículo «Retrato de Diego»: *Las mujeres..., entre todas ellas yo,
siempre teníamos ganas de sostenerlo en brazos, como a un recién nacido.*

Diego lleva pintado el tercer ojo (de la sabiduría) en la
frente y sostiene una planta de maguey (símbolo del sexo
masculino) en las manos. Su rostro recuerda vagamente a las
representaciones de Buda. Eligiendo el color blanco verdoso para su piel, Frida pretendía que hiciera pensar en un ani-
mal acuático, un sapo.

Esta peculiar «madonna» que llora (tal vez por el temor
a perder a su hijo) está rodeada de cactus y otras plantas tí-
picas mexicanas simbolizando su país, pero quizá también
la fuerza y resistencia del amor de Frida por Diego que, como

estas plantas, es capaz de crecer sobre la roca o la arena, y resistir las condiciones más extremas.

Acuclillado a los pies de la pareja se encuentra el señor Xólotl. Éste no sólo alude a uno de los perritos de la perra, sino también al personaje mitológico con forma de can que guardaba el mundo de los muertos. Este personaje llevaba sobre sus espaldas a los muertos hasta el mundo subterráneo donde finalmente podrían resucitar.

Tras ellos, la diosa de la tierra Cihuacoatl, con el pecho abierto como el de Frida, que está abrazando a ésta. El rostro de la diosa es inexpresivo, pero de su pecho cuelga una gota de leche que parece una lágrima. Dos grandes manos, las del universo, dividido en el día y la noche, sostienen, a su vez, todo el conjunto. Las raíces de las plantas que sobresalen por debajo de estos grandes brazos y manos podrían simbolizar la profundidad del amor que, pese a todo, une a la pareja.

A principios de enero de 1950 Frida recibe la visita de un viejo y querido amigo, el doctor Eloesser, a quien le cuenta que de la noche a la mañana cuatro dedos de su pie derecho han aparecido negros. El médico la manda inmediatamente al hospital. Frida había venido padeciendo de mala circulación en la pierna derecha, a resultas de la cual había llegado a desarrollar la gangrena. En el hospital la intervienen nuevamente de la espalda y varios médicos, entre ellos el doctor Farill, recomiendan la amputación del pie hasta el talón con el objeto de que la cicatrización sea menos lenta y peligrosa.

Frida se lo comenta por carta a su amigo californiano, quien ya había expresado la misma opinión. Quiere saber hasta dónde deberían cortar y en qué país le recomienda que lo haga, si en México o los Estados Unidos. Un joven médico, Julio Zimbrón, le ha ofrecido la posibilidad de evitar la amputación con el tratamiento a base de unas inyecciones subcutáneas de gases ligeros (helio, hidrógeno y oxígeno) que, según el galeno, hacían desaparecer la gangrena. Frida confiesa tener bastante miedo, sentirse «loca y desesperada», deseosa de resolver de una vez por todas el problema de su pierna para regresar cuanto antes a su trabajo.

Su deseo no podrá hacerse realidad en todo el año. Frida pasa casi todo el 1950 y el inicio de 1951 en una cama del hospital, sometiéndose a diversas operaciones y encerrada en varios corsés sin que registre grandes mejoras.

En una carta que su hermana Cristina contesta por Frida al doctor Eloesser en abril de ese año, ésta critica los errores de los médicos y describe los indecibles padecimientos físicos de su hermana como un «verdadero calvario», y no es para menos. Esto fue lo que escribió:

... no sé hasta dónde tendrá que llegar, pues, como le dije a usted en mi primera carta, le fusionaron tres vértebras con un hueso no sé de quién y los primeros once días fueron espantosos para ella. El intestino se le paralizó; calentura diaria desde el siguiente día de operarla, de 39 a 39,5; vómitos constantes y dolores constantes en la espina, y puesto el corsé sobre el cuerpo de ella y acostada sobre la operación. (...) Para calmarle los dolores, los médicos le dieron inyecciones de Demerol y otras cosas, menos de morfina, pues no la tolera. La calentura siguió y comenzó a sufrir dolores en la pierna derecha y opinaron que era flebitis; le pusieron una inyección para la flebitis y desde ese momento fue un conejo de indias, picándola con inyecciones y medicinas. La calentura cedió y entonces noté yo que ella despedía muy mal olor por la espalda. Se lo hice ver yo al médico y al día siguiente la volvieron a llevar a la sala de operaciones y abrieron el corsé y encontraron un absceso o tumor todo infectado en la herida

y tuvieron que operarla nuevamente. Sufrió otra vez la paralización del intestino, dolores horribles y, en lugar de adelantar, otros terribles trastornos. Le pusieron otro nuevo corsé de yeso y éste para secar fue cosa de cuatro o cinco días, y le dejaron canalización para escurrir toda la secreción.

Le dieron Cloromicetina cada cuatro horas y comenzó a bajar la calentura, pero así y todo llevamos ya desde el 4 de abril, que la operaron por segunda vez. Y ya el corsé está sucio de porquería que por la espalda está destilando; tiene un olor a perro muerto y dicen estos señores que no se cierra la herida y la pobre niña es una víctima de ellos. Esta vez necesitan otro corsé y otra operación o curación para quitarle todo lo malo. Yo, doctor Eloesser, pienso, sin que Frida lo sepa, que no sé por qué creo que la infección no es superficial, sino que pienso que no ha pegado el hueso en las vértebras y que esto ha infectado todo. Desde luego no se lo he dicho a ella, pues está la pobre atormentada y es digna de compasión. No me explico cómo pudo decidirse a esta estúpida operación sin estar ella en condiciones, pues le hicieron un examen de sangre ya con la calentura y operada, y sólo tenía tres millones de glóbulos y esto ha sido un verdadero atraso para ella, así que no se alimenta bien, ya está rendida y cansada de la postura y dice todo el tiempo que siente estar sobre puros vidrios. Yo quisiera darle mi vida como la veo sufrir, pero estos señores todo el tiempo dicen que va bien y que quedará bien. Pero me duele mucho decirle a usted, doctor Eloesser, pero yo sin saber medicina sé que no está bien Frida. (...) No encarnan los puntos y no se ve que la herida cierre. Ella esto no lo sabe, pues ya es bastante con lo que sufre. (...)

Hemos sufrido al parejo de ella, pues todas nosotras sus hermanas la adoramos y nos duele mucho verla así. Ella es digna de admiración, pues es abnegada y fuerte; gracias a eso soporta su desgracia.

Al final de la carta, Cristina cuenta al doctor Eloesser que Diego *se ha portado muy bien en esta ocasión y ella está tranquila.*

En efecto, durante el año que su esposa permaneció en el hospital, Diego se portó como un marido atento, aunque hubo quien afirmó que las altas y bajas de Frida en el hospital dependían fundamentalmente de la libertad que el pintor necesitara para sus propios asuntos (el doctor Velasco y Polo se lo expresó así a Hayden Herrera en entrevista privada).

Lo cierto es que Diego alquiló un cuarto al lado del de ella para pasar siquiera las noches a su vera, le leía poesías, la mecía antes de dormir, como si fuera una niña pequeña... Conocida la afición de ella por el séptimo arte, Diego se hizo con un proyector y alquiló decenas de películas de sus artistas preferidos: Chaplin, el Indio Fernández, el Gordo y el Flaco... Sus atenciones la calmaban más que las de cualquier otra visita.

Y visitas tuvo bastantes. Sobre todo de sus hermanas, pero también de sus alumnos y muchos amigos, tanto del entorno artístico como del político (Frida había sido readmitida en el Partido Comunista en 1948, mientras que a Diego le costaría seis años más, a pesar de haberlo solicitado en 1946).

Las visitas convertían su habitación en una fiesta. A todos les pedía chismes y chistes. Cuando se hallaba a solas con alguno, quería que le platicaran sobre los hechos más significativos de su vidas. Tenía el don de la escucha, podía hacerlo durante horas, empatizando y emocionándose con los problemas ajenos, lo que confortaba en gran medida a los demás.

Nadie se sustraía de firmar en sus corsés de yeso, aportando algún elemento decorativo a los ya existentes. Su habitación se distinguía de todas las demás, no sólo por la agitada vida social que en ella se desenvolvía, sino también por su decoración a base de calaveras de azúcar, palomas de la paz y una bandera soviética. Sobre la mesilla, varias pilas de libros y sus herramientas artísticas: pinceles y frascos de pintura.

En torno a su cama, fotografías de sus seres más queridos, sobre todo de Diego, así como unas hojas en las que la activista política invitaba a todos a firmar en apoyo del Congreso de la Paz de Estocolmo, que reclamaba el fin de los experimentos atómicos por parte de las potencias imperialistas.

Cuando se encontraba mejor, reaparecía en escena un caballete especial para que Frida pintara, pues mantenerse ocupada con los pinceles la sostenía moralmente. Durante su prolongada estancia en el hospital avanzó mucho, por ejemplo, en *Mi familia*, especie de segunda versión, ampliada con sus hermanas y sobrinos, de *Mi familia y yo,* que, sin embargo, quedó incluso.

Tanto los doctores como las enfermeras otorgaban un trato de favor a Frida, pero no por ser quien era, sino por ser como era. Todos se maravillaban ante su alegría, su carácter disciplinado y la resignación con que soportaba el dolor sin quejarse ni recriminar los errores médicos... Como antes había sido conocida por su generosidad para con los pobres de Coyoacán, también ahora dejaba importantes propinas al personal que la atendía.

Pero, sobre todo, Frida adoraba al doctor Farill, que, además de ser una eminencia de la época, compartía con ella el defecto de la cojera debido a unos problemas padecidos en una de sus piernas, que le habían obligado a llevar durante años muletas y un aparato ortopédico. También compartía con el médico el amor por los niños y el cuidado hacia los más necesitados. Juan Farill había fundado un hospital para niños lisiados que era gratuito para los de origen humilde.

Como muestra de su inmensa gratitud y afecto, Frida se pintó a sí misma en 1951 ejecutando el retrato del doctor Farill. Ante el ángulo que forman dos paredes desnudas, Frida, sentada en una silla de ruedas, se mantiene rígida, como si llevara puesto un corsé que, sin embargo, se disimula bajo las amplias vestiduras: una blusa-túnica blanca y una sobria falda negra. Sostiene un haz de pinceles en una mano mientras que en la otra lleva una paleta que no es otra cosa que su propio corazón.

Encima del caballete, el serio rostro del doctor Farill ocupa todo el lienzo. Frida pinta esta obra a la manera de los exvotos, como una ofrenda de agradecimiento al «santo» que la ha salvado cuando se hallaba en la enfermedad. En el cuadro no hay cabida para nadie más que ella y su «salvador». La desnudez del entorno parece sugerir la soledad, el abandono que siente Frida a pesar de todo. Sin embargo, quiere vivir, como atestiguan sus propias palabras en el *Diario* en la época en que salió del hospital ABC: *He estado enferma un año... El doctor Farill me salvó. Me volvió a dar alegría de vivir. Todavía estoy en la silla de ruedas, y no sé si pronto volveré a andar. Tengo el corsé de yeso que, a pesar de ser una lata pavorosa, me ayuda a sentirme mejor de la espina. No tengo dolores. Solamente un cansancio... y, como es natural, muchas veces desesperación. Una desesperación que ninguna palabra puede describir. Sin embargo, tengo ganas de vivir. Ya comencé a pintar. El cuadrito que voy a regalarle al doctor Farill y que estoy haciendo con todo mi cariño para el...*

Dos años más tarde Frida le regaló también una naturaleza muerta pintada en la que, junto a una paloma y una bandera mexicana, colocó el letrero, «Viva la Vida y el doctor Farill, y yo pinté esto con cariño, Frida Kahlo».

El doctor, por su parte, no fue indiferente a las muestras de amistad de Frida. Cuando ésta se hallaba fuera del hospital, la visitaba casi a diario, aunque no pudiera hacer demasiado por ella.

Tras salir del hospital, Frida sintió más que nunca el tedio de su nueva situación de inválida. Ya no podía prescindir de las drogas que le inyectaba la enfermera de turno. Apenas dejaba la silla de ruedas para dar unos dificultosos pasos con sus muletas y volverse a sentar. Aborrecía quedarse sola. De hecho, muchas veces, cuando ya las visitas se habían ido y, por la razón que fuera, no podía seguir trabajando, la asaltaban pensamientos suicidas.

Con todo, sus amistades, tanto recientes como antiguas, se volcaron con ella acudiendo a visitarla por las tardes. No importaba lo famosos que fueran. Así, acudían con mucha frecuencia la actriz Dolores del Río y María Félix con o sin su marido, Jorge Negrete. A María le encantaba la libertad que gozaba ante Frida para dejar por un momento su personaje público y ser ella misma. Otras grandes amigas de esta época final fueron la artista Machila Armida y la pareja formada por Teresa Proenza y Elena Vázquez Gómez. Tampoco fallaban sus hermanas y sobrinos varias veces a la semana, sobre todo Cristina, que pasaba por la Casa Azul a diario.

Alguna noche que Frida se encontraba con ánimos, Diego juntaba a varios amigos y la llevaba a algún restaurante de la ciudad donde comían, bebían y cantaban, y Diego sacaba a alguna de las mujeres a bailar, divirtiéndose todos como en los viejos tiempos. Entre esos amigos se hallaban los poetas Salvador Novo y Carlos Pellicer, la actriz Dolores del Río y la fotógrafa Bernice Kolko.

CAPÍTULO XVIII

— Misticismo marxista y «dieguista» —

En los últimos años de su vida, Frida se aferró con mayor fuerza si cabe a todo lo que amaba. Costumbres como obsequiar y recibir regalos, pasar tiempo con Diego y sus seres queridos, pintar, luchar por sus ideas políticas... Estas últimas, quizá, sobre manera. Anegarse en el ideario comunista, sentirse una ínfima parte de un proyecto global que daría inicio a un nuevo orden, más sabio y más justo, sofocaba la angustia ante su inminente desintegración. Llevada por su fervor comunista, escribió en su diario: *Hoy como nunca estoy acompañada. Soy un ser comunista... He leído la historia de mi país y de casi todos los pueblos. Conozco ya los conflictos de clases y económicos. Comprendo claramente la dialéctica materialista de Marx, Engels, Lenin, Stalin, Mao Tse. Les amo como a los pilares del nuevo mundo comunista... Soy solamente una célula del complejo mecanismo revolucionario de los pueblos para la paz.*

Al tiempo que Frida veneraba a estos cinco grandes líderes comunistas, cuyos retratos colgaban de su cama, renegó de Trotski con vehemencia, acusándole públicamente de toda clase de faltas, desde la cobardía (a salir sin escoltas), al robo (de toda clase de objetos de la Casa Azul cuando se mudó a la de la calle Viena), sin obviar su legendaria pedantería.

Justificó su salida del partido comunista años antes por su falta de madurez política en aquel entonces; simplemente había seguido a Diego cuando le echaron por encontrarse en la oposición. Pero desde su readmisión, presumía Frida, no había dejado de pagar su cuota ni de informarse «de cada detalle de la revolución y la contrarrevolución en todo el mundo».

En esta última etapa de su vida, a Frida le asaltan remordimientos respecto al sentido último de su obra, pues desea que hasta ésta sea política. Su diario recoge las siguientes anotaciones al respecto: *Tengo mucha inquietud en el asunto de mi pintura. Sobre todo por transformarla para que sea algo útil... pues hasta ahora no he pintado sino la expresión honrada de mí misma, pero alejada absolutamente de lo que mi pintura pueda servir al partido. Debo luchar con todas mis fuerzas para que lo poco de positivo que mi salud me deje hacer sea en dirección a ayudar a la revolución. La única razón real para vivir.*

Lo que Frida pinta mayormente en estos últimos años, con las frutas que los sirvientes le traen del mercado o recogen de su propio jardín, son naturalezas muertas, a las que ella llama, paradójicamente, «naturalezas vivas» y a las que ahora, en pleno arrebato místico-comunista, quiere dotar de un sentido revolucionario, integrando símbolos pacifistas, como palomas, banderas y hasta lemas.

A finales de 1952 por fin se convence de estar ya creando un arte socialista: *apoyando la línea trazada por el partido. Realismo Revolucionario,* escribe en su *Diario.*

La técnica con la que pinta a partir de 1952 redunda en cuadros estridentes, de pincelada salvaje, poco precisa, casi desbocada. Los colores son irritantes. Tal vez fuera efecto de la creciente cantidad de drogas que tomaba para mitigar el padecimiento físico.

Llegó un momento de tal dependencia que la cantidad legalmente admitida no era suficiente y Frida enviaba a Diego a conseguir sus narcóticos por otras vías menos ortodoxas. Su marido sugirió que tratara de compensarlos con el alcohol y ella llegó a beberse hasta dos botellas de brandy diarias sin prescindir, por ello, de los estupefacientes.

Quizá se precipitara pintando por la conciencia de no disponer de muchas horas de lucidez creativa, antes de que el dolor se volviera insoportable o los calmantes la atontaran demasiado. O que lo hiciera para acabar con rapidez algunos encargos y conseguir así el dinero que necesitaba para pagar consultas y drogas, pues también Diego pasaba por no pocos apuros económicos. En ocasiones, su desesperación era tal que llamaba a los amigos pidiéndoles dinero para adquirir los medicamentos que luego podía llegar a mezclar de cualquier manera.

Cuando Stalin muere en marzo de 1953, Frida siente mucho el golpe. Su creencia casi religiosa en el comunismo la lleva a homenajear al líder soviético en varias obras, entre ellas *Autorretrato con Stalin* o *Frida y Stalin* (hacia 1954). Utilizando vibrantes colores (rojos, naranjas y amarillos), Frida se representa ataviada con uno de sus vestidos de tehuana, sin joyas, ni adornos, sentada de brazos cruzados ante el caballete que exhibe un enorme retrato de su ídolo, quien, a la manera de un exvoto, desempeñaría la función de un santo salvador. Frida no olvida colocar un inmenso sol, dador de fuerza y de vida, a sus espaldas.

Pero el mensaje más claramente político, propagandístico incluso, lo ofreció, ya desde el título, en *El marxismo dará salud a los enfermos* (hacia 1954). En este retrato Frida está de pie, deshaciéndose de unas muletas que caen al suelo porque el marxismo la ha liberado de todo sufrimiento y ya no las necesita; de hecho las dos enormes manos de esta ideología la sostienen para que no caiga.

Más utópica que nunca, Frida, que exhibe el libro rojo de Marx en la mano izquierda, insiste en su invalidez: sobre su larga falda de tehuana, lleva un corsé ortopédico en lugar de una blusa. Tras ella la tierra se divide simbólicamente en dos: la parte pacífica, surcada por ríos de agua cristalina y sobrevolada por una gigantesca paloma, y la amenazada por la destrucción, donde los ríos son de sangre y un champiñón hace referencia a la amenaza atómica. En el cielo de esta tierra corrompida, Frida coloca el retrato de Marx, como un anciano bondadoso (y santo de este nuevo exvoto), detrás de cuya cabeza surge el puño que aprieta por el cuello a un ser con cuerpo de ave, negra y gorda (¿el águila americana?), y cabeza humana tocada por el característico sombrero del Tío Sam. La alusión es clara: el pensamiento marxista acabará con la explotación económica de las potencias imperialistas. Igual que la ha sanado a ella, liberará a todas las naciones.

Uno de los últimos cuadros pintados por Frida, que nunca llegó a terminar, era otro retrato de Stalin, el que aún se exhibe al público sobre el caballete de Frida, en su taller de la casa azul.

Además de los mencionados problemas financieros, Diego tuvo en esta época serios problemas de salud. En 1952 se le diagnosticó un cáncer de pene (¿castigo «bíblico» al macho?).

Como era de esperar, se negó a la amputación, por lo que hubo de someterse a radioterapia.

Las relaciones con Frida se tornaron cada vez más difíciles. Ella ya no contaba con muchos atributos para retenerle a su lado: no podía bañarlo, ni cocinar para él... sólo le quedaba aquella especie de chantaje emocional involuntario debido a su invalidez. Tal vez a causa de las drogas que ella tomaba, sus peleas fueron cada vez más violentas, la relación estaba llena de altibajos. Ella tan pronto estaba eufórica por efecto de las inyecciones de Demerol como caía en una profunda depresión y trataba de suicidarse.

Así, una vez, intentó colgarse del dosel de su cama celosa por una supuesta relación de Diego con la crítica de arte Raquel Tibol, que en aquel periodo vivía con la pareja en Coyoacán. Como ésta rechazó los avances de Frida, acostumbrada a compartir a tantas amantes de Diego, mudándose al estudio de éste en San Ángel, Frida se enrabietó hasta tal punto que trató de poner punto final a su vida (o al menos de llamar la atención sobre sí misma) de la forma ya descrita, circunstancia que su enfermera descubrió a tiempo, evitando que llegara a ahogarse.

Y es que la actitud de Diego no le aportaba estabilidad. El inconstante marido podía ser de lo más tierno y atento un día para desinteresarse de ella después, con la más perfecta insensibilidad. No es de extrañar que se separaran por largos períodos.

Pese a todo, Frida continúa obsesionada con él, como confiesa siempre a sus amigos. Le anhela por encima de todo y así lo escribe continuamente en su *Diario: Si sólo tuviera cerca de mí su caricia, como a la tierra el aire se la da, la realidad de su persona me haría más alegre, me alejaría del sentido que me llena de gris. Nada ya sería en mí tan hondo, tan final. ¡Pero cómo le explico mi necesidad enorme de ternura!*

Mi soledad de años. Mi estructura inconforme por inarmónica, por inadaptada. Yo, es mejor irme; irme, no, escaparme. Que todo pase en un instante. Ojalá.

No puede renunciar a quererle, ni a desearle el bien, por encima del suyo propio: *Nadie sabrá jamás cómo quiero a Diego. No quiero que nada le hiera, que nada le moleste ni le quite energía que él necesita para vivir. Vivir como a él le dé la gana. Pintar, ver, amar, comer, dormir, sentirse solo, sentirse acompañado, pero nunca quisiera que estuviera triste. Si yo tuviera salud quisiera dársela toda. Si yo tuviera juventud, toda la podría tomar.*

En otra página declaró: *Amo a Diego y a nadie más.*

Y sin duda le amó, si no no hubiera podido comprender tan bien las peculiaridades de su carácter y aceptar y perdonar cada vez más sus no, por consabidas, menos dolorosas infidelidades. Con los años, Frida se volvió más tolerante respecto a las necesidades de su marido, que por encima de todo era un ser libre y se pertenecía a sí mismo. Ella le ha amado porque es un ser distinto, especial, y amarle implica aceptarle como es, con sus espinas y sus desbordamientos, despreciando la opinión de los demás. Cuando no consigue aceptarle tal cual es, la culpa es de Frida, por no estar a la altura. En el ensayo *Retrato de Diego*, escrito en 1949 por Frida con ocasión de la exposición retrospectiva de su marido en el Museo de Bellas Artes, Frida resulta muy clarificadora:

No hablaré de Diego como «mi esposo», porque eso sería ridículo. Diego nunca ha sido ni será jamás el «esposo» de nadie. Tampoco lo mencionaré como amante, porque para mí trasciende el reino del sexo. Si lo describo como hijo, no habré hecho más que expresar o pintar mis propias emociones, casi un autorretrato y no el retrato de Diego...

(...) Quizá esperen oír lamentos sobre «lo que se sufre» viviendo con un hombre como Diego. Sin embargo, no creo que las riberas de un río padezcan por dejar correr el agua, ni que la tierra padezca porque llueva, ni que el átomo se aflija porque descarga energía... Para mí todo tiene su compensación natural. Dentro del margen de mi difícil oscuro papel como aliada de un ser extraordinario, se me otorga el mismo premio que a un punto verde en medio de un campo rojo: el premio del «equilibrio». Las penas y alegrías que regulan esta sociedad, podrida por las mentiras, no son mías, aunque viva en ella. Si yo tengo prejuicios y las acciones de otros, incluyendo las de Diego Rivera, me hieren, acepto la culpa de mi incapacidad de ver claramente.

Una y mil veces Frida confía a su *Diario* todo lo que Diego significa para ella. Cerraremos este capítulo con una rotunda poesía-inventario:

> *Diego <u>principio</u>*
> *Diego <u>constructor</u>*
> *Diego <u>mi niño</u>*
> *Diego <u>mi novio</u>*
> *Diego <u>pintor</u>*
> *Diego <u>mi amante</u>*
> *Diego <u>«mi esposo»</u>*
> *Diego <u>mi amigo</u>*
> *Diego <u>mi madre</u>*
> *Diego <u>mi padre</u>*
> *Diego <u>mi hijo</u>*
> *Diego = yo*
> *Diego <u>Universo</u>*
> *Diversidad en la <u>Unidad</u>*

CAPÍTULO XIX

— Un homenaje antes de la desintegración —

Q UE Diego, a pesar de su cambiante comportamiento respecto a Frida, la adoraba y sobre todo la admiraba como artista, tanto o más cuanto ella podía admirarle a él, no cabe duda. Así, no dudó en asegurar con orgullo, en su autobiografía, que en 1953 el suceso «más emocionante» había sido la exposición exclusiva de Frida organizada por Lola Álvarez Bravo en su Galería de Arte Contemporáneo, situada en la zona más chic de la capital: la Zona Rosa.

La fotógrafa y galerista había comprendido que su amiga se estaba muriendo y, como sabía que la mayor ilusión de Frida era que le dedicaran una exposición individual en México, decidió que el homenaje fuera en vida para que pudiera disfrutarlo.

Era el mes de abril. Frida acababa de salir de una intervención (el trasplante de un hueso que, por estar a su vez enfermo, tuvieron que volver a quitarle), si bien aún no le habían amputado la pierna (lo harán unos meses más tarde, en verano).

Su estado de salud era tan deplorable los días anteriores a la inauguración que, en principio, no se contaba con ella para la misma. La incertidumbre respecto a su asistencia desata una expectación inusual en los medios de comunicación tanto nacionales como extranjeros.

Los médicos le habían prohibido moverse del lecho, así que a alguien se le ocurre la surrealista idea de llevar la cama de Frida hasta la galería. Cuando todo estuvo dispuesto, llegó ella, en ambulancia, escoltada por una hilera de motos, creando una gran agitación entre el público que aguardaba ante las puertas de la galería.

Asistida por una fuerte dosis de drogas, pudo presidir, espléndidamente engalanada, el último gran tributo brindado por sus amigos y por otra mucha gente de la calle.

Una foto de archivo del diario «Excelsior» inmortalizó a un anciano doctor Atl frente a Frida, mirándola compasivamente desde debajo de su inseparable sombrero. Junto al legendario pintor y vulcanólogo, rodean a Frida la cantante Concha Michel y Carmen Farell, entre otros.

La gente hizo cola, esperando su turno para saludar a Frida antes de internarse en la exposición misma. A nadie se le escapaba lo especial de aquel acontecimiento. Como si de una santa o de una reina se tratara, todos le presentaron sus respetos, sobrecogidos al ver de cerca la mella que enfermedades y operaciones habían causado en los otrora bello rostro y lozano cuerpo de la pintora.

La muchedumbre era tal que nadie podía quedarse demasiado rato a su vera. Así ocurrió, por ejemplo, con los «Fridos», a quienes ella rogó que se quedaran un rato más a su lado, pero les resultó imposible por los empujones de quienes venían detrás.

Frida se esforzó por representar su papel lo mejor que pudo, bebiendo alcohol y cantando con los invitados hasta tarde.

Todos los que la visitaron (la exposición) —escribe Diego— *no pudieron evitar maravillarse ante su gran talento. Incluso yo quedé impresionado al contemplar su obra en conjunto.*

La exposición tuvo que prolongarse un mes más de lo previsto debido al éxito de público y entre la crítica el reconocimiento fue unánime.

Frida vive para ver que no sólo ha sido la esposa de un genio, sino otro genio en sí misma.

Seguramente todos estos hechos contribuyeron a levantar el ánimo de Frida temporalmente, pero la cruda realidad era que su estado de salud continuaba empeorando y en concreto su pierna derecha, que se iba gangrenando, por lo que el doctor Farill, tras meses de dudas, dictaminó que lo mejor sería amputarla hasta la rodilla.

Frida, que se hallaba en presencia de su amiga Adelina Zendejas y de Diego, cuando escuchó la noticia, dejó escapar un grito desgarrador.

El mote que tanto había odiado de niña parecía finalmente una profecía: «Frida la coja, pata de palo». La amiga trató de parecer razonable. Tal como tenía la pierna derecha no podía caminar. Con una de las excelentes piernas ortopédicas que ya por entonces se fabricaban sin duda volvería a andar. Frida era la clase de persona que no se arredraba ante tales circunstancias...

Diego estaba a punto de llorar cuando Frida le miró buscando su opinión. Éste no dijo nada. Creía sinceramente, como confesó a Adelina Zendejas mientras la llevaba a casa, que la amputación mataría a Frida.

Ésta trataba de hacerse la valiente en público, pero su *Diario* recoge toda la angustia y el horror que la futura amputación le provocaba.

Agosto de 1953.
Seguridad de que me van a amputar la pierna derecha.
Detalles sé pocos, pero las opiniones son muy serias. El doctor
Luis Méndez y el doctor Juan Farill. Estoy preocupada, mucho,
pero a la vez siento que será una liberación. Ojalá y pueda ya
*caminando dar todo el esfuerzo que me queda para Diego. (*varios tachones) *todo para Diego.*

De alguna manera Frida ya lo había intuido y expresado en su *Diario*. Se trata de una composición anterior en la que Frida reinterpreta un emblema surrealista muy caro a Picasso: el minotauro. En este dibujo de Frida, la cabeza del toro va unida a un cuerpo de mujer. Instalado en el centro del cuaderno con su doble cara, una mira hacia el pasado de la pintora, un perfil bello, digno, orgulloso, mientras que la cara de la derecha enfrenta un futuro aterrador: la artista se pinta como una marioneta a la que le falta ya una pierna, sosteniéndose en precario equilibrio sobre una columna clásica, al tiempo que se le van cayendo un brazo, un ojo, la cabeza... Por si hiciera falta añadir un lema, escribe al lado: «Yo soy la DESINTEGRACIÓN...»

Más adelante se dibuja sin cabeza y con alas, con una pierna auténtica y otra artificial, a las que llama apoyo n.º 1 y apoyo n.º 2. Las dos mitades de su cuerpo están unidas gracias a un apretado cinturón que ciñe su cintura. Otra vez, en lugar de espina dorsal, dibuja una columna rota. En el lugar que debería ocupar su cabeza, se ha posado una paloma. Quizá la misma paloma que, según los conocidos versos del poeta comunista español Rafael Alberti, «se equivocaba». Frida los escribe junto al dibujo y en la página sucesiva.

Las alas son una constante en el *Diario,* son sus ansias de libertad, de deshacerse de la prisión de su cuerpo, de la enfermedad, de la inmovilidad... A veces están dramáticamente rotas. Por momentos, Frida pierde las esperanzas. Su esperanza de volar, de salir de la situación que la tiene atrapada... se desvanece. Así vuelve a representarse a sí misma, desnuda —apenas cubierta por un conjunto de ramas que también hacen pensar en la cola de un pavo real— con su larga melena suelta y unas alas rotas. Sobre su cabeza se pregunta: «Te vas?» Y contesta: «No». Rematándolo todo debajo con un expresivo «ALAS ROTAS».

Según diversos testimonios, tras la amputación Frida perdió todo deseo de visitas. «Diles que estoy dormida», rogaba a Diego y se mostraba lejana e indiferente con las personas que estaban a su vera, Diego incluido. La desaparición de su pierna ofendió el sentido estético de Frida, su vanidad de mujer sobre la que asentaba en gran medida su fuerte personalidad. La depresión se agudizó. Los médicos veían que ya no tenía ganas de vivir y trataban de no forzarla ni a pintar y a hacer nada que Frida no pidiera. Y Frida no pedía nada. De su boca salían las palabras estrictamente necesarias. Ni siquiera para quejarse o maldecir, para desatar su furia, abría la boca.

Un hecho mortificaba tanto a Frida en este tiempo como la propia amputación. La nueva amante de Diego no se estaba limitando a la típica aventura con él, sino que se había instalado en su casa y se dedicaba a organizarlo todo, a mandar sobre los criados y disponer de todo como si de la nueva patrona se tratara... Este puesto a Frida nunca se lo habían arrebatado. Sencillamente, no podía tolerarlo.

Una tarde en que una enfermera viene junto a la cama de Frida para decirle a Diego que una señorita le espera fuera para ir a una exposición y Diego no pierde un segundo en irse, despidiéndose de ella de cualquier manera, Frida intenta quitarse de nuevo la vida.

Se trataba de Emma Hurtado, quien se convertiría en la cuarta esposa de Diego, en 1955.

Frida se negó a regresar a su hogar hasta que la mujer se hubiera ido de él. Cuando por fin lo hizo, pasó mucho tiempo hasta que aceptó ponerse la pierna ortopédica, revolviéndose grosera contra los médicos cuando trataban de ayudarla a vencer la repugnancia que ésta le provocaba. Poco a poco fue entrando en razón. Después de todo, nadie notaría la falsa pierna bajo sus faldas de tehuana. Con el paso de las semanas, Frida llegó a caminar: primero distancias cortas, luego algo más respetables... Incluso pudo bailar ante unas visitas un jarabe tapatío.

Volvió a pintar. Desempolvó su negro sentido del humor, haciendo múltiples chanzas respecto a su ahora auténtica condición de coja, y hasta llegó a recuperar una cierta coquetería, encargándose una botitas rojas de piel.

No obstante, nunca se recuperó totalmente. El medio año que sigue a la amputación fue una tortura como ella misma escribe en la siguiente página de su *Diario*.

11 de febrero de 1954
Me amputaron la pierna hace seis meses. Se me han hecho siglos de tortura y en momentos casi perdí la razón. Sigo sintiendo ganas de suicidarme. Diego es el que me detiene por mi vanidad de creer que le puedo hacer falta. Él me lo ha dicho y yo le creo. Pero nunca en la vida he sufrido más. Esperaré un tiempo.

Diego, en efecto, fue de gran consuelo en estos últimos meses de la vida de Frida. Él, que odiaba interrumpir su trabajo, lo dejaba corriendo en cuanto Frida o su enfermera le llamaban. Él era el único que calmaba en último extremo la desesperación y las lágrimas de Frida. Se sentaba a su vera para cantarle suavemente, leerle poemas o entretenerla con sus anécdotas. A veces simplemente se acostaba su lado y la abrazaba hasta que ella se dormía.

Luego tenía que hacer horas extras para recuperar el tiempo perdido junto a Frida. A veces su cansancio era tal que se quedaba dormido sobre el andamio. En la última época, Diego proveyó a Frida de enfermeras durante las veinticuatro horas del día. Para cubrir este increíble gasto, junto al de las drogas y los médicos, Diego, como cuenta en su autobiografía, comenzó a pintar acuarelas, hasta dos al día, pues los murales no le dejaban suficiente dinero.

La dedicación de Diego sostiene ciertamente a Frida, al igual que el cariño mostrado por tantos otros amigos y por los doctores que la atienden, pero Frida, aunque anota eufórica largas listas de agradecimientos en su *Diario,* sabe que vive sus últimos meses. La osteomielitis que padece, unida a su mala circulación sanguínea, la condenan a pesar de todas las operaciones practicadas.

Su humor empeoró. A veces, se enojaba por tonterías que antes nunca le hubieran molestado. Gritaba histérica tratando de pegar a las personas que se hallaban a su alcance, arrojándoles cosas, insultando a todo el mundo, Diego incluido.

Muchas veces Diego no soportaba sus padecimientos y desaparecía durante días. Cuando regresaba, ella no le reprendía, le trataba como si fuera su hijito revoltoso... Él le seguía el juego, contestando como un niño, diciendo «chi», por ejemplo, en lugar de «sí». Es curioso, porque todos coinciden en afirmar que, después de la amputación, Frida ya no soportaba las visitas de los niños, ella que siempre los había adorado. No podía impedirles que vinieran, pero ya no les hacía caso y, cuando se iban, se quejaba de cuánto la molestaban.

En una ocasión, en el salón de la Casa Azul, Diego confesó a Raquel Tibol, llorando como un niño, que si tuviera valor la mataría, porque no soportaba verla sufrir así.

Pero su piedad no llegaba a ese extremo.

En el capítulo que Chavela Vargas dedica a Frida («fue uno de mis grandes amores y un modelo como mujer») en su libro de memorias *Y si quieres saber de mi pasado*, la cantante cuenta cómo en la época en que ella conoció a Frida (a mediados de los 40), Diego solía dejarle una pistola a Frida debajo de la almohada.

No le decía nada a Frida, pero no hacían falta palabras. «Mátate. Si puedes soportar el dolor, mátate.»

No parece probable que en estos últimos años Diego continuara dejando su pistola al alcance de Frida; de lo contrario, seguramente ella no habría errado tantas veces en sus intentos de suicidio.

Hacia el final, la situación era tan insoportable, el humor de Frida, tan pésimo, porque ya no podía valerse por sí misma salvo peinarse o aplicarse su lápiz de labios, que Diego quería internarla en un asilo.

Un frío día de julio, en plena temporada de lluvias, sin haberse recuperado aún de una bronconeumonía, Frida, contraviniendo las órdenes de sus médicos, insistió en manifestarse junto a miles de mexicanos contra la intrusión imperialista de los Estados Unidos en Guatemala. Éstos habían apoyado desde la CIA el Gobierno reaccionario del general Castillo Armas, sustituyendo al presidente izquierdista Jacobo Arbenz.

Diego empujó lentamente la silla de ruedas de Frida por las desiguales calles que van desde la plaza de Santo Domingo hasta el Zócalo, seguidos por otros destacados intelectuales y artistas. Fue la última aparición pública de Frida. Y fue ciertamente una aparición heroica, conmovedora, recogida en múltiples fotografías. Frida con el puño derecho alzado en señal de lucha, enarbolando con la otra una pancarta con una paloma portando en su pico el letrero «Por la paz».

Conociendo ahora en detalle el infierno en que vivía Frida, resulta conmovedor que aún sacara fuerzas de flaqueza para salir a la calle a pedir durante cuatro horas la paz y la justicia para otros. Bajo su pañuelo, el rostro solidario de Frida, tan demacrado y envejecido por la enfermedad, resulta más bello que nunca.

CAPÍTULO XX

L A mañana del 46 cumpleaños de Frida, Teresa Proenza, quien había pasado la noche anterior en la Casa Azul, a petición de su amiga, la despertó poniendo en el tocadiscos «Las mañanitas». Luego continuó durmiendo hasta que se le pasó el efecto de las drogas y, tras ser arreglada, recibió a algunas visitas en el comedor.

Todos comieron platos típicos de la tierra: mole de guapolote, tamales con atole, chiles... Un centenar de invitados pasó a lo largo de la tarde a saludarla. La casa estaba llena de flores y Frida por unas horas recuperó su antigua majestad y presencia de ánimo. Quizá hasta llegó a olvidar que se moría. Porque Frida sabía que se moría. Y ya no le tenía miedo a la muerte. Por eso, a veces, hablaba con total naturalidad de ello a sus amigos.

Al «cachucha» Manuel González Ramírez le confió, por ejemplo, que deseaba ser incinerada, pues bastante tiempo había pasado ya tumbada como para pasar la eternidad en tal postura dentro de una tumba.

Frida murió finalmente el 13 de julio de 1953. Era un martes.

La noche anterior, según cuenta Diego en sus fanta-siosas memorias, se había quedado con ella hasta las dos y media de la mañana, porque la vio gravemente enferma de pulmonía. Frida le había regalado un anillo de oro que había mandado comprar para celebrar su 25 aniversario de bodas. Como aún faltaban diecisiete días para el acontecimiento, Diego preguntó por qué se lo daba ya. Y ella respondió: *Porque siento que te voy a dejar dentro de muy poco.*

Siempre según Diego, a las cuatro de la madrugada Frida se despierta quejándose de un severo malestar. Cuando ya al amanecer llega un médico, éste descubre que Frida había muerto poco antes, de una embolia pulmonar.

Muy distinta es la versión de su enfermera, publicada en el *Excelsior*. Según la señora Mayet, Diego abandonó la casa hacia las once de la noche tras asegurarse de que Frida se había dormido, para dirigirse a su estudio en San Ángel. Y eso a pesar de que el doctor Velasco y Polo le había insisti-do la misma tarde que ella de veras estaba muy enferma, con fiebre alta. A las cuatro de la madrugada, aquí coinci-den ambas historias, Frida se despertó quejándose de fuer-tes molestias. La enfermera le alisó las sábanas y trató de calmarla.

A las seis de la mañana oyó que el médico llamaba a la puerta. De camino a abrirle la puerta se acercó al lecho de Frida para arreglarle las cobijas y entonces la vio con los ojos abiertos y fijos, y al tocarle las manos comprobó que esta-ban frías.

Según la enfermera, Diego conoció la noticia de los la-bios de su chófer, Manuel, que, por haber trabajado para Guillermo Kahlo, conocía y apreciaba a Frida desde pe-queña.

«*Señor* —le dijo—, *murió la niña Frida.*»

La famosa última frase de su *Diario* días antes de su muerte dice:

«*Espero alegre la salida y espero no volver jamás.*»

En teoría se refería a su salida del hospital, pero muchos lo han tomado por una «prueba» de que tal vez lograra suicidarse, después de todo. El hecho de que no se le practicara ninguna autopsia no hizo sino alimentar esta hipótesis. Ocurre que, además, el doctor Velasco y Polo se negó a proporcionar a Diego el certificado de defunción, debido a «cuestiones legales», así que Diego hubo de recurrir a su ex cuñado, Federico Marín, hermano de Lupe.

Por el modo en que Diego relata en sus memorias la muerte de Frida no puede ni afirmarse ni descartarse la hipótesis del suicidio.

La mayoría de sus amigos negaron siempre que Frida se hubiera quitado la vida, preferían pensar que había luchado hasta el fin y que si realmente murió de una sobredosis, como se rumoreaba, ésta habría sido accidental, o simplemente las cantidades acostumbradas habrían resultado letales al combinarse con su mala circulación y la debilidad física de ella por la prolongada pulmonía.

Tal vez el hecho de no hallarse en la casa la noche de su muerte agravara el pesar de Diego tras la pérdida de su esposa. Lo cierto es que no quiso recibir a la prensa ni a casi nadie. Diego llamó casi de inmediato a Lupe Marín, que acudió acompañada por la marchante de Diego y su futura esposa, Emma Hurtado.

Mientras Diego trataba de hacerse con un certificado de defunción, las amigas de Frida la vestían con una falda negra de tehuana y un huipil blanco, y peinaron sus cabellos con flores y cintas, adornando sus dedos con anillos y con aretes sus orejas. En su cuello colocaron collares de jade, coral y plata, y bajo su cabeza, un almohadón adornado con encajes. Toda la habitación estaba decorada con flores rojas.

Casi ninguno de los amigos que pasó por la casa para dar su último adiós a Frida pudo contener las lágrimas. Diego se encerró en su cuarto con su dolor. Cuando al final de la tarde trasladaron el cuerpo de Frida al Palacio de Bellas Artes metido en un ataúd, éste no quiso que nadie le acompañara en su auto.

En el amplio vestíbulo del edificio neoclásico pasó de cuerpo presente aquella noche y la mañana siguiente, acostada sobre una tela negra y rodeada de multitud de flores rojas. El director del Instituto Nacional de Bellas Artes no era sino Andrés Iduarte, un antiguo compañero de Frida de los tiempos de la Preparatoria, por lo que permitió que se la honrara allí, si bien hizo prometer a Diego que no convertiría el acto en un mitin político.

Para desesperación de Iduarte, Diego faltó a su promesa, haciendo cubrir el ataúd con una bandera roja marcada con la hoz y el martillo, como si de una heroína comunista se tratara, lo que costó el cargo a Iduarte, quien tuvo que volver a su cátedra como profesor de literatura hispanoamericana en la Universidad de Columbia.

En cambio, a Rivera, esa «farsa rusófila», como la llamó la prensa, le valió ser readmitido a los dos meses y medio en el Partido Comunista de México, tras años de fallidas intentonas...

Más de seiscientas personas pasaron por Bellas Artes para despedirse de Frida. Tras cantar el himno nacional a petición de Cristina, un cortejo formado por Siqueiros y Rivera, entre otros levantó el ataúd de Frida en sus hombros y lo bajaron por las escaleras de mármol hasta la calle.

Seguida por medio millar de personas, el coche fúnebre avanzó lentamente bajo una pertinaz lluvia hasta el rudimentario crematorio del Panteón Civil de Dolores. La sala era tan pequeña que la mayoría del cortejo tuvo que esperar bajo la lluvia, entre los ataúdes, sin presenciar el acto final.

El poeta y amigo Carlos Pellicer leyó unos versos escritos en honor de Frida; Iduarte pronunció un grandilocuente discurso que comenzaba: *Frida ha muerto, Frida ha muerto*, y terminaba: *Amiga, hermana del pueblo, gran hija de México: todavía estás viva... Sigues viviendo...*

Por su parte, Adelina Zendejas recordó cómo era Frida en los lejanos tiempos de la Preparatoria y destacó la voluntad de vivir de la pintora y la importancia de su legado artístico. Cuando Juan Pablo Sainz habló en nombre del Comité Central del PCM, aprovechó para arreglar los problemas del mundo. A la una y cuarto colocaron el cuerpo de Frida sobre una carretilla automática que lo llevaría sobre unos ríeles de hierro hasta el horno. Rivera se mantuvo mudo a su vera, con los puños apretados. Minutos antes de que se abriera la puerta del horno, los asistentes se pusieron a cantar, con el puño en alto, el himno de México, la *Internacional* y otros temas de índole política... Cuando el cuerpo de Frida entró en el horno cambiaron a canciones populares de despedida como *Adiós, mi chaparrita* y *Adiós, mariquita linda*.

Su hermana Cristina se puso tan histérica que tuvieron que sacarla fuera. La multitud siguió cantando durante las cuatro horas que entonces se tardaba en incinerar a un muerto, mientras Diego lloraba.

Al acabar, reunió las cenizas de Frida en un trozo de tela roja y las colocó en una cajita de madera. También se dice que llegó a tragar un pequeña parte de las mismas, como queriendo conservar algo de ella dentro de su cuerpo.

Más tarde las guardaría en el jarrón precolombino que las contiene actualmente y que se puede ver en el Museo Frida Kahlo, donado por Diego al pueblo mexicano un año después de la muerte de Frida e inaugurado como museo en julio de 1958, a los cuatro años exactos de su muerte.

¿Qué pasó con Diego? En su autobiografía escribió que el 13 de julio de 1954 había sido *«el día más trágico de mi vida. Perdí a mi querida Frida, para siempre... Demasiado tarde me di cuenta de que la parte más maravillosa de mi vida había sido el amor que sentía por Frida».*

Sin embargo, tan sólo un año después de quedarse viudo, volvió a casarse, como ya hemos dicho, con su marchante, Emma Hurtado, cuya galería de arte llevaba precisamente el nombre de Diego. El gran muralista ya no sabía vivir solo. Sus problemas de salud se agravaron y tuvo que viajar a Moscú para curarse. A su regreso, se hallaba tan en plena forma que se embarcó en una nueva y sonada aventura, esta vez con la multimillonaria Dolores Olmedo, a cuya casa de Acapulco se fue a vivir sin mayores remordimientos. Olmedo procedía de una familia humilde de Tehuantepec, pero había logrado una carrera en los negocios gracias a sus «amistades» con varios presidentes mexicanos.

Según declaró Olmedo a un reportero del diario de Caracas «El Universal», el 24 de mayo de 1997, un poco como Frida, había conocido a Diego de niña, cuando con doce años visitaba acompañada de su madre, que era maestra de escuela, la Secretaría de Educación Pública donde Rivera pintaba un mural. Se encontraron con él en el elevador y Rivera pidió a la madre permiso para retratar a la pequeña Dolores, quien posó por primera vez para el maestro.

A medida que fue amasando su pequeña fortuna, comenzó a comprar obras de Rivera hasta hacerse con la mayor colección del mundo de obras de éste y de Frida, las cuales se exhiben en el Museo Dolores Olmedo, donado por la filantrópica coleccionista al pueblo mexicano.

El 24 de noviembre de 1957 Diego murió en su casa de San Ángel de un ataque al corazón. Los políticos consideraron que un genio de su talla no podía yacer en otro sitio que la Rotonda de los Hombres Ilustres, desoyendo el deseo tantas veces expresado por Rivera de descansar eternamente fundido con Frida.

Aún no se han juntado sus cenizas.

DÓNDE VER LA OBRA DE FRIDA

— En México —

Museo Frida Kahlo. Calle Londres, 247, Coyoacán

Contiene sobre todo obras del último período de la artista. Entre otras: *Retrato de la familia de Frida,* pintado entre 1950 y 1954; *Retrato de mi padre* (1951), *Paisaje* (hacia 1947), *Naturaleza muerta* (1952-1954), *Viva la vida* (1954), *Autorretrato con Stalin* o *Frida y Stalin* (1954) y *El Marxismo dará la salud a los enfermos* (hacia 1954). También contiene el último retrato inacabado de Stalin, y el corsé *La espalda rota* (hacia 1944). Y, por supuesto, su *Diario.*

Museo de Arte Moderno. Paseo de la Reforma, esquina con Gandhi

Aunque también alberga un bodegón de la época final de Frida, *Naturaleza muerta con sandías* (1953), la obra que obliga a visitar este museo es, sin duda, *Las dos Fridas.*

Museo Dolores Olmedo Patiño, Finca La Noria, Av. México, 5.843, Xochimilco

Aunque la misión primordial de este museo era albergar y difundir la colección privada más importante de la producción artística de Diego Rivera, integrada por ciento treinta y siete trabajos del muralista, éste también posee obras relevantes de dos de sus esposas: Frida Kahlo y Angelina Beloff, las dos mujeres que, según Annita Brenner en una carta previa al segundo matrimonio de Frida con Diego, más de veras le habían amado.

También posee una extensa colección de más de seiscientos piezas prehispánicas procedentes de diversas culturas indígenas antiguas del país, muebles y otros objetos de la época del virreinato, y una singular colección de muestras de las artes populares: judas, cerámicas y máscaras, entre otras creaciones producto, muchas veces, de la sensibilidad anónima del pueblo mexicano, a quien ha sido donado el museo por la filantrópica admiradora de Rivera.

Entre las veinticinco obras de Frida que posee el museo se encuentran varias de sus pinturas más emblemáticas, lo que la convierte en la más importante colección del mundo de pinturas y dibujos de la artista.

Así, por ejemplo, el *Retrato de Alicia Galant*, fechado en 1927, que fue su primera obra de caballete. Otros retratos importantes de la colección son *Retrato de Luther Bank* y *Retrato de Eva Frederick*, ambos de 1931, de los que ya hemos hablado en esta obra, y *Niña* (1929).

Pero, sin duda, el más significativo es *Retrato de Doña Rosita Morillo* (1944), que era uno de los favoritos de la pintora y de los pocos en los que se atrevió a volcar sus propias emociones personales y toda la ternura que la anciana retratada le inspiraba.

En el cuadro se dan diversos simbolismos. La modelo era la madre de uno de los mecenas mexicanos más importantes de Frida, el ingeniero agrónomo y diplomático Eduardo Morillo Safa, que a lo largo de los años 40 encargó cinco retratos de su familia a la artista, adquiriendo en total una treintena de obras más. Para este retrato Frida prescinde del primitivismo mexicanista, enfocándose hacia un realismo sutil donde cada detalle ha sido pintado pincelada a pincelada, con extrema meticulosidad: desde los cabellos canos de la abuela a la pelusilla de las tupidas plantas del fondo, que están cuajadas de flores, pero también de ramas muertas y de espinas, simbolizando lo que ve una persona mayor cuando echa la vista atrás. Acontecimientos felices, dificultades, seres y lugares amados que ya se han perdido para siempre, y la proximidad de la propia muerte.

La voluminosa anciana ocupa recia y solemne toda la base del cuadro con una prestancia imponente; su gesto es severo, el de una persona que hubiera visto demasiadas cosas y ya nada pudiera sorprenderla. Por lo mismo, irradia sabiduría y serenidad. Frida la retrata tejiendo, es decir, aún laboriosa, ocupada en una tarea que requiere lo que siempre sobra en la tercera edad: tiempo y paciencia.

Posee, así mismo, el *Autorretrato «El tiempo vuela»* (1929) y el *Autorretrato con Changuito (1945)*, donde Frida se liga simbólicamente a su mascota, un mono araña, quien ocupa el lugar de los hijos que no tuvo. La cinta que lo une a ella también se enlaza con un clavo al fondo, símbolo de dolor y martirio... (otra imagen cristiana) por esa falla que Frida había sentido como mujer. El fondo amarillo contribuye a crear una sensación de enfermedad y locura.

En *Pensando en la muerte* (1943), otro autorretrato, Frida se representa ante un tupido fondo de ramas y hojas espinosas, perfectamente detalladas. En medio de la frente, como si de un tercer ojo se tratara, Frida pinta dentro de un círculo una calavera.

Entre los lienzos más marcadamente autobiográficos, destacan *Mi Nana y Yo* o *Yo mamando* (1937), *Hospital Henry Ford* (1932) y *La Columna Rota* (1940).

Una de las obras más tempranas recogidas en la colección de Dolores Olmedo es *El Camión* (1929). Pintados en un estilo ingenuo, próximo al primitivismo muralista, aparecen sentados en el banco de un camión distintos arquetipos de la sociedad mexicana de la época: un ama de casa de clase media baja con la cesta del mandado colgada del brazo; un obrero vestido con gorra y uniforme que sin embargo lleva corbata y camisa de cuello blanco, como si de un ejecutivo se tratara y en lo que muchos han querido ver una irónica referencia al ideal marxista según el cual algún día los obreros heredarán la tierra...

En el centro del cuadro Frida coloca a una indígena descalza amamantando a su bebé con su humilde hatillo a los pies, mientras otro niño, algo mayor, da la espalda al espectador y, de rodillas sobre el banco, observa, seguramente divertido, la gran ciudad. Por último, un burgués muy bien vestido con aspecto de extranjero (tal vez un gringo, a juzgar por sus ojos azules), con la seguridad y felicidad que le aporta la bolsa de dinero que lleva en la mano, pintadas en el rostro. Cierra la escena por la derecha una joven «moderna», bastante parecida a la misma artista, caracterizada por su pequeño bolsito y su pañuelo al cuello. Por su temática, *El camión* recuerda a *Vagón de tercera clase* del caricaturista francés Honoré Daumier. El sentido del humor de Frida se manifiesta en el rótulo que da nombre a la pulquería colocada al fondo del cuadro: «La Risa».

El Museo alberga, así mismo, el sangriento *Unos cuantos piquetitos* (1935), del que ya hemos hablado, y que alude a la situación personal de Frida, tras la traición de Rivera con Cristina Kahlo, hermana de la artista.

El Museo cuenta también con una de sus obras maestras, *El Difuntito Dimas* (1937), que representa a un niño de unos tres años de edad yaciendo sobre un pobre petate de paja en el día de su velatorio. El tema, que forma parte del repertorio iconográfico mexicano desde la época del virreinato, evoca igualmente los exvotos que Frida coleccionaba. Dimas Rosas era uno de los muchos hijos de un matrimonio de indígenas de Ixtapalapa, que solían posar para Rivera y a los que éste apreciaba enormemente, habiendo aceptado ahijar al pequeño Dimas. El destino del niño fue trágico. Como quiera que el ignorante padre se empeñaba en consultar a brujos en lugar de médicos, cuando sus hijos caían enfermos, éstos continuaban muriéndose. Frida retrata con crudeza la triste suerte del niño, fallecido prematuramente debido a la simpleza de sus progenitores y también a su humilde condición (pues, aunque lleva un capa de seda y una especie de corona sobre la cabeza, lo que Frida sitúa en primer plano son sus pies descalzos).

De 1944 es *La flor de la vida*, que Frida presentara al Salón de la Flor. Ésta es una de las obras donde Frida expone más abiertamente su fuerte sexualidad, transformando una exótica planta en órganos masculinos y femeninos ante un sol que es, como siempre, dador de vida.

También contiene el asombroso *La máscara* (1945), donde Frida se complica en el juego de las ocultaciones. Como muchos pensaban que los hieráticos rostros de sus autorretratos eran una especie de máscara con que Frida ocultaba su sufrimiento y verdaderos sentimientos, ahora Frida coloca encima ese rostro-máscara, una máscara-rostro con gesto preocupado y lágrimas que fluyen de sus desencajados ojos...

Instituto Tlaxcalteca de Cultura, Tlaxcala

Posee *Frida en Coyoacán* (hacia 1927), el *Retrato de Miguel N. Lira* (1927) y *Chong Lee, Mike hermano de siempre... no te olvides de la cachucha n.º 9* (hacia 1948-1950).

EN LOS ESTADOS UNIDOS

El Museo de Arte Moderno de Nueva York (MOMA) posee *Mis abuelos, mis padres y yo* (1936) y *Autorretrato de pelona* (1940), mientras que en el Museo de Arte Moderno de San Francisco puede verse *Frieda Kahlo y Diego Rivera* (1931). Hay un *Autorretrato* de 1930 en el Museo de Bellas Artes de Boston.

En cuanto a la Universidad de Texas, en la ciudad de Austin, la Colección de Arte del Centro de Investigación de Humanidades Harry Ransom de la Universidad de Texas, en Austin, alberga el *Autorretrato con collar de espinas* (1940) y un dibujo sobre papel: *Frieda Kahlo y Diego Rivera*, también llamado *Diego y Frieda* (1930), que sirvió de estudio para el óleo del mismo nombre conservado en el Museo de Arte Moderno de San Francisco.

El *Retrato del Dr. Eloesser* (1931) se halla también en San Francisco, en la Facultad de Medicina de la Universidad de California, mientras que otras obras regaladas por Frida a su amigo, que forman parte de su testamentaría, las custodia la Hoover Gallery de esta ciudad, como *Allá cuelga mi vestido* (1933) y un *Autorretrato* (1940).

Washington se precia de poseer en el Museo Nacional de Mujeres en las Artes (The National Museum for Women in the Arts) el *Autorretrato dedicado a Leon Trotski* (1937), subtitulado allí «Between the courtains».

Por último, *El suicidio de Dorothy Halle,* tras su curiosa peripecia, continúa en el Museo de Arte de Phoenix (Arizona).

BIBLIOGRAFÍA

Breton, André: *Le surrealisme et la peinture*. París, Gallimard, 1965.

Cacucci Pino: *Tina*. Barcelona, Circe, 1992.

Del Conde, Teresa: *Vida de Frida Kahlo*. Ciudad de México, Secretaría de Presidencia, Departamento Editorial, 1976.

Herrea, Hayden: *Frida, una biografía de Frida Kahlo*. México, Diana, 1985 (traducción de Angelika Scherp).

Kahlo, Frida: *El diario de Frida Kahlo. Un íntimo autorretrato*. Madrid, Editorial Debate, 2001 (tercera edición). Introducción de Carlos Fuentes y Sarah M. Lowe.

Kahlo, Frida and Martha Zamora (editora): *The Letters of Frida Kahlo: Cartas Apasionadas*. Chronicle Books, 1995.

Kettenmann, Andrea: *Frida Kahlo 1907-1954: Dolor y pasión*. Colonia, Taschen, 2002. Traducción de María Ordóñez-Rey.

Lowe, Sarah M.: *Frida Kahlo, Nueva York*. Universe, 1991.

Rauda, Jamis: *Frida Kahlo*. Editorial Diana, 1998.

Rivera, Diego y March, Gladys: *My Art, My Life: An Autobiography*. Nueva York, Citadel, 1960.

Tibol, Raquel: *Frida Kahlo: crónica, testimonios y aproximaciones*. Mexico D. F., Ediciones de Cultura Popular, 1977.

Tibol, Raquel: *Frida: Una vida abierta*. Ciudad de México, Oasis, 1983.

Tibol, Raquel: *Escrituras*. UNAM, 1999. México.

Trostki, Leon: *Mi vida*. Akal Editor, 1979. Madrid.

Vargas, Chavela: *Y si quieres saber de mi pasado*. Madrid, Aguilar 2002.

Wolfe, Bertram D.: *The fabulous life of Diego Rivera*. Nueva York, Stein and Day, 1963.

Zamora, Martha: *Frida Kahlo: The Brush of Anguish*. San Francisco, Chronicle Books, 1990.

ÍNDICE

TÍTULOS PUBLICADOS EN ESTA COLECCIÓN